O CÉREBRO DA CRIANÇA

O CÉREBRO DA CRIANÇA

12 ESTRATÉGIAS REVOLUCIONÁRIAS PARA NUTRIR A MENTE EM DESENVOLVIMENTO DO SEU FILHO E AJUDAR SUA FAMÍLIA A PROSPERAR

DANIEL J. SIEGEL e TINA PAYNE BRYSON

Tradução
Cássia Zanon

nVersos

Copyright © 2011 by Mind Your Brain, Inc and Bryson Creative Productions, Inc. Licença exclusiva para publicação em português brasileiro cedida à nVersos Editora. Todos os direitos reservados. Publicado originalmente na língua inglesa sob o título *The Whole-Brain Child*.

Todos os detalhes de identificação, inclusive os nomes, foram modificados, exceto aqueles pertencentes aos membros das famílias dos autores. Este livro não tem a intenção de substituir o aconselhamento de profissionais treinados.

Diretor Editorial e de Arte
Julio César Batista

Produção Editorial
Carlos Renato

Preparação
Patrizia Zagni

Revisão Técnica
Adriana Nobre de Paula Simão

Revisão
César Carvalho e Juliana Amato

Arte da Capa
Misa Erder

Ilustrações
Tuesday Mourning

Projeto Gráfico
Erick Pasqua

Editoração Eletrônica
Erick Pasqua e Reginaldo Diniz

Dados Internacionais de Catalogação na Publicação (CIP)
(Câmara Brasileira do Livro, SP, Brasil)

Siegel, Daniel J.
   O cérebro da criança : 12 estratégias revolucionárias para nutrir a mente em desenvolvimento do seu filho e ajudar sua família a prosperar / Daniel J. Siegel, Tina Payne Bryson ; [tradução Cássia Zanon]. -- 1. ed. -- São Paulo : nVersos, 2015.

   Título original: *The whole-brain child*
   ISBN 978-85-8444-073-3

   1. Crianças - Desenvolvimento - Psicologia infantil 2. Crianças - Saúde emocional 3. Crianças - Saúde mental 4. Criação de filhos 5. Educação infantil 6. Neuropsiquiatria infantil I. Bryson,
Tina Payne. II. Título.

15-09250   CDD-649.1

Índices para catálogo sistemático:
1. Desenvolvimento infantil : Puericultura   649.1

1ª edição – 2015
13ª reimpressão – 2024
Esta obra contempla
o Acordo Ortográfico
da Língua Portuguesa
Impresso no Brasil
Printed in Brazil

nVersos Editora
Rua Cabo Eduardo Alegre, 36
01257-060 – São Paulo – SP
Tel.: 11 3995-5617
www.nversos.com.br
nversos@nversos.com.br

SUMÁRIO

9   **PREFÁCIO À EDIÇÃO BRASILEIRA**

13   **INTRODUÇÃO:** SOBREVIVER E PROSPERAR

23   **CAPÍTULO 1:** CRIAÇÃO DE FILHOS LEVANDO O CÉREBRO EM CONSIDERAÇÃO

37   **CAPÍTULO 2:** DOIS CÉREBROS SÃO MELHORES DO QUE UM: INTEGRANDO O ESQUERDO E O DIREITO

    47   Estratégia do cérebro por inteiro nº 1: conectar e redirecionar: surfando nas ondas emocionais

    54   Estratégia do cérebro por inteiro nº 2: nomear para disciplinar: contando histórias para acalmar grandes emoções

67   **CAPÍTULO 3:** CONSTRUINDO A ESCADARIA DA MENTE: INTEGRANDO OS ANDARES DE CIMA E DE BAIXO DO CÉREBRO

> **82**   Estratégia do cérebro por inteiro nº 3: envolver, não enfurecer: apelando para o cérebro do andar de cima

> **88**   Estratégia do cérebro por inteiro nº 4: usar ou perder: exercitando o cérebro do andar de cima

> **95**   Estratégia do cérebro por inteiro nº 5: mover ou perder: movimentando o corpo para evitar perder a mente

105   **CAPÍTULO 4:** MATE AS BORBOLETAS! INTEGRANDO A MEMÓRIA PARA CRESCIMENTO E CURA

> **122**   Estratégia do cérebro por inteiro nº 6: usar o controle remoto da mente: reproduzindo lembranças

> **127**   Estratégia do cérebro por inteiro nº 7: lembrar para lembrar: tornando a recordação parte da vida diária da família

137   **CAPÍTULO 5:** ESTADOS UNIDOS DE MIM: INTEGRANDO AS MUITAS PARTES DE MIM MESMO

> **150**   Estratégia do cérebro por inteiro nº 8: deixar as nuvens de emoções passarem: ensinando que os sentimentos vêm e vão

153 Estratégia do cérebro por inteiro nº 9: examinar: prestando atenção ao que acontece por dentro

160 Estratégia do cérebro por inteiro nº 10: exercitar a visão mental: voltando ao eixo

171 CAPÍTULO 6: A CONEXÃO EU-NÓS: INTEGRANDO O *SELF* E OUTROS

187 Estratégia do cérebro por inteiro nº 11: aumentar o fator de diversão familiar: tratando de apreciar uns aos outros

192 Estratégia do cérebro por inteiro nº 12: conectar por meio do conflito: ensinando as crianças a argumentar com um "nós" em mente

205 CONCLUSÃO: JUNTANDO TUDO

212 FICHA PARA A GELADEIRA

215 IDADES E FASES DO CÉREBRO POR INTEIRO

235 AGRADECIMENTOS

239 SOBRE OS AUTORES

PREFÁCIO À EDIÇÃO BRASILEIRA

GUSTAVO TEIXEIRA, M.D. M.ED.[1]

Fico muito honrado com a tarefa de apresentar o magnífico livro de autoria do Dr. Daniel Siegel e da Dra. Tina Bryson, autores que admiro e que tanto contribuem para o desenvolvimento da saúde mental e emocional de crianças e adolescentes.

Conheço o trabalho do professor Siegel há mais de dez anos. Ele é médico formado pela Universidade de Harvard e especializado em Psiquiatria da Infância e Adolescência pela Universidade da Califórnia (UCLA) em Los Angeles, onde atua como professor clínico de Psiquiatria na Escola de Medicina e codiretor da Mindful Awareness Research Center (Centro de Pesquisa da Consciência Plena).

Dr. Siegel une com sabedoria o conhecimento neurocientífico e a educação em seu trabalho, sendo reconhecido no mundo todo como um multiplicador de conhecimento ao público geral. Um comunicador fantástico, que já palestrou para Vossa Santidade o Papa João Paulo II e para a Sua Santidade o Dalai Lama.

---

1 Gustavo Teixeira é médico especializado em Psiquiatria da Infância e Adolescência, professor visitante do Department of Special Education – Bridgewater State University, nos Estados Unidos, e mestre em Educação pela Framingham State University, também nos Estados Unidos. Mantém o site http://www.comportamentoinfantil.com.

A Dra. Tina Bryson, coautora desta brilhante obra, possui doutorado pela Universidade do Sul da Califórnia, é psicoterapeuta, diretora executiva do Center for Connection (Centro para Conexão) e do Mindsight Institute (Instituto da Visão Mental), no qual coordena o setor de educação parental e desenvolvimento infantil.

Vivemos um tempo em que os pais apresentam muitas dificuldades em dar limites aos filhos e não conseguem aplicar regras ou educar as crianças. Julgam-se permissivos, queixam-se de que trabalham muito e de que não têm tempo para orientar ou estar presentes na vida de seus filhos.

Assim, em tempos em que os videogames e a televisão tornam-se babás eletrônicas de milhares de crianças e os índices de dependência da tecnologia tornam-se endêmicos, outra questão importante ganha relevância na conjuntura atual da nossa sociedade: a forma equivocada como a tecnologia tem sido utilizada pelas famílias.

Munidos da desculpa de que os filhos ficam mais calmos e quietos na companhia de seus smartphones e videogames, observamos crianças se distanciando do mundo real, passando horas na frente de telas de computador e se isolando em seus mundos virtuais. O resultado disso é que estamos perdendo oportunidades valiosas de conexão com nossas crianças e permitindo que a tecnologia invada os relacionamentos.

Filhos inábeis na interação social tornam-se despreparados emocionalmente, carentes de afeto, sem limites, agressivos e desobedientes. Infelizmente, essa desestruturação familiar tem sido a regra nos lares brasileiros.

Mas como reverter essa situação e melhorar a comunicação entre os membros da família? Como nos conectar com nossos filhos para torná-los cidadãos éticos, felizes, independentes e bem-sucedidos? Como cultivar o bem-estar para o equilíbrio emocional das nossas queridas crianças?

PREFÁCIO À EDIÇÃO BRASILEIRA

A qualidade do tempo que dedicamos aos filhos é mais importante do que a quantidade de tempo disponível. Pensando nisso, devemos encarar as situações difíceis de relacionamento como oportunidades para ajudá-los a prosperar e crescer de forma segura, confiante, com a autoestima fortalecida e blindada contra as armadilhas e dificuldades da vida.

A formação dos nossos filhos depende das informações que eles recebem diariamente do ambiente que os cercam. Isso significa que as crianças crescem e se desenvolvem por espelhamento, aprendendo com o que observam do comportamento dos seus pais e responsáveis. Os estudos neurocientíficos evidenciam que a interação dos pais com seus filhos estimula o desenvolvimento cerebral, o crescimento emocional e a aprendizagem. Além disso, esses relacionamentos sociais são grandes preditores para a felicidade. Seria fantástico se pudéssemos utilizar estratégias práticas com esse objetivo. É exatamente essa a proposta deste guia.

Entretanto, para atingir esse objetivo precisamos conhecer o funcionamento do cérebro da criança e suas necessidades emocionais. Aprender com os próprios erros e usar momentos problemáticos do dia a dia para ensiná-los a serem mais felizes, organizados, responsáveis e mostrar suas potencialidades é mais um grande mérito desta obra, que auxiliará os pais a nutrir a autoestima, a criatividade e a desenvolver conceitos de ética e respeito em seus filhos.

O cérebro da criança foi merecidamente aclamado pela crítica em diversos países, tendo figurado como um dos livros mais vendidos na respeitosa lista de best-sellers do *New York Times*, e chega agora ao Brasil para auxiliar pais e educadores.

Com uma linguagem simples e prática, os autores nos apresentam a neurobiologia interpessoal, ciência que procura entender e integrar a mente, promover a saúde mental, a qualidade de vida e o bem-estar das pessoas. Ao descrever o poder da mente humana, o Dr. Siegel e a Dra. Bryson oferecem conhecimento científico valioso para entender o comportamento e o desenvolvimento humano.

Este guia aplica o conceito de *mindsight* (visão mental): a capacidade humana de perceber a própria mente e os outros, uma forma de nos conhecer e assim integrar o cérebro e a mente para potencializar relacionamentos interpessoais. É uma espécie de atenção focada, que estimula o autoconhecimento e a compreensão de nossas emoções.

O leitor conhecerá os pilares da autorregulação e aprenderá a utilizar a inteligência emocional para adquirir resiliência e integrar mente, cérebro e corpo, promovendo harmonia e saúde emocional na família.

Os autores mostram que por meio de interações diárias com os filhos podemos ensiná-los a prosperar e desenvolver suas habilidades para serem mais saudáveis e felizes. Estimulando os relacionamentos familiares, podemos aumentar a aprendizagem das nossas crianças, fazendo-as cultivar sentimentos positivos rumo a um futuro promissor.

A habilidade de comunicação dos autores para transmitir informação neurocientífica de qualidade com uma linguagem clara e objetiva é um dos méritos da obra, que motivará o leitor a se tornar protagonista na missão de educar e criar seus filhos. *O cérebro da criança* é uma verdadeira escola para pais – esta frase define a minha opinião pessoal, como pai e como médico psiquiatra da infância e adolescência.

Agradeço ao Dr. Siegel e Dra. Bryson por compartilharem este livro com as famílias brasileiras.

INTRODUÇÃO
SOBREVIVER *E* PROSPERAR

Você já teve um dia daqueles, certo? Em que a privação de sono, os tênis enlameados, a manteiga no casaco novo, as agruras do dever de casa, a massinha de modelar no teclado do seu computador e os refrões de "Foi ela que começou!" fazem-no contar os minutos para chegar a hora de dormir. Nesses dias, quando você (de novo?!) precisa arrancar uma uva-passa do nariz, parece que o máximo que pode esperar é *sobreviver*.

No entanto, quando se trata dos seus filhos, você está em busca de muito mais do que a mera sobrevivência. É claro que quer atravessar aqueles difíceis momentos de "birra no restaurante". Mas quando somos pai, mãe ou outro cuidador comprometido com a vida de uma criança, nossa meta principal é criá-la para que possa prosperar. Queremos que ela desfrute de relacionamentos importantes, seja atenciosa e compassiva, saia-se bem na escola, que se esforce, seja responsável e sinta-se bem consigo mesma.

Sobreviva. Prospere.

Conhecemos milhares de pais ao longo dos anos. Quando perguntamos o que é mais importante para eles, versões desses dois objetivos quase sempre ocupam o topo da lista. Eles querem sobreviver a momentos difíceis na criação dos filhos e querem que os filhos e a família prosperem. Como pais, compartilhamos desses mesmos objetivos para nossas famílias.

Em nossos momentos mais nobres, tranquilos e sãos, cuidamos de alimentar a mente dos nossos filhos, aumentando seus sentimentos de admiração e ajudando-os a atingir seus potenciais em todos os aspectos da vida. Mas nos momentos mais frenéticos e estressantes do tipo "subornar o pequeno a sentar na cadeirinha para chegarmos ao jogo de futebol", às vezes tudo o que podemos almejar é deixar de gritar ou ouvir alguém dizer: "Você é muito mau!".

Dê um tempo e pergunte a si mesmo: o que você realmente quer para seus filhos? Quais qualidades espera que desenvolvam e levem para a vida adulta? Provavelmente, você quer que sejam felizes, independentes e bem-sucedidos. Quer que desfrutem de relacionamentos gratificantes e vivam uma vida repleta de significado e sentido. Agora, pense no percentual de tempo que dedica a desenvolver intencionalmente essas qualidades em seus filhos. Se você é como a maioria dos pais, preocupa-se com o fato de passar tempo demais apenas tentando chegar ao fim do dia (e às vezes até daqui a cinco minutos) e não dedica tempo suficiente para criar experiências que ajudem seus filhos a prosperar tanto hoje quanto no futuro.

Talvez você se compare com algum tipo de pai ou mãe perfeito, que nunca se esforça para sobreviver, que aparentemente passa todos os minutos acordado, ajudando os filhos a prosperar. Você conhece o tipo: a presidente da associação de pais e professores da escola que prepara refeições orgânicas e balanceadas, enquanto lê para os filhos em latim sobre a importância de ajudar os outros e, depois, acompanha-os ao museu de arte no carro híbrido que toca música clássica e asperge aromaterapia de lavanda pelas saídas do ar-condicionado. Nenhum de nós consegue ser esse superpai ou essa supermãe imaginários. Especialmente quando sentimos que boa parte de nossos dias passa no modo máximo de sobrevivência, no qual nos vemos sempre de olhos atormentados e com o rosto enrubescido no final de uma festa de aniversário, gritando: "Se houver mais uma briga por causa daquele arco e flecha, ninguém ganhará presente!".

Se alguma dessas situações lhe parece familiar, temos uma ótima notícia para você: *os momentos em que está apenas tentando sobreviver são, na realidade, oportunidades para ajudar o seu filho a prosperar.* Às vezes, você pode achar que os momentos repletos de amor e importantes (como ter uma conversa significativa sobre compaixão ou caráter) são separados dos desafios de criar filhos (como enfrentar mais uma batalha em torno do dever de casa ou lidar com mais um ataque de fúria). Contudo, não são momentos absolutamente separados. Quando seu filho é desrespeitoso e responde para você, quando você é chamado para uma reunião com o diretor da escola ou quando encontra rabiscos de giz de cera por toda a parede, esses são momentos de sobrevivência, não restam dúvidas.

No entanto, ao mesmo tempo, são oportunidades – bênçãos até –, *porque um momento de sobrevivência também é um momento de prosperar,* em que ocorre o trabalho fundamental e significativo de criar filhos.

Pense, por exemplo, em uma situação que frequentemente você apenas tenta atravessar. Como quando seus filhos estão brigando pela terceira vez em três minutos (não é muito difícil de imaginar, certo?). Em vez de simplesmente separar a briga e mandar os irmãos para quartos diferentes, podemos usar a discussão como uma oportunidade de ensinar: sobre ouvir e escutar ponderadamente o ponto de vista do outro, sobre comunicar os próprios desejos de maneira clara e respeitosa e sobre comprometimento, sacrifício, negociação e perdão. Sabemos que isso é algo difícil de imaginar no calor do momento. Contudo, quando compreendemos um pouco as necessidades emocionais e os estados mentais de nossos filhos, podemos criar esse tipo de resultado positivo – mesmo sem as forças de manutenção da paz das Nações Unidas.

Não há nada de errado em separar os filhos quando estão brigando. É uma boa técnica de sobrevivência e, em determinadas situações, pode ser a melhor solução. Mas, frequentemente, podemos fazer mais do que simplesmente encerrar o conflito e o barulho. Podemos transformar essa experiência em outra que desenvolva não apenas o cérebro de cada criança, mas também suas habilidades de relacionamento e seu caráter. Com o tempo, os irmãos continuarão crescendo e se tornarão mais hábeis para lidar com conflitos sem a orientação dos pais. Esta será apenas uma das muitas maneiras pelas quais você poderá ajudá-los a prosperar.

O que é ótimo nessa abordagem de sobreviver e prosperar é que não precisamos tentar arranjar um tempo especial para ajudar nossos filhos a prosperar. Podemos usar *todas* as interações compartilhadas – tanto as estressantes e irritantes quanto as milagrosas e adoráveis – como oportunidades para ajudá-los a se tornarem as pessoas responsáveis, atenciosas e capazes que queremos que se tornem. É disto que este livro trata: sobre usar esses momentos do dia a dia com os filhos para ajudá-los a atingir o verdadeiro potencial. As páginas a seguir oferecem um antídoto às abordagens acadêmicas e de criação de filhos que exageram em enfatizar as conquistas e a perfeição a qualquer custo. Em vez disso, enfocaremos as formas como podemos ajudar nossos filhos a serem mais eles mesmos, a se sentirem mais à vontade no mundo, mais plenos de resiliência e força. Como se faz isso? Nossa resposta é simples: precisamos compreender algumas questões básicas sobre o cérebro jovem que estamos ajudando a crescer e se desenvolver. É disso que trata *O cérebro da criança*.

COMO USAR ESTE LIVRO

Quer seja pai, mãe, avô, avó, professor, terapeuta ou outro cuidador importante na vida de uma criança, este livro foi escrito para você. Vamos usar os termos "pai" ou "mãe" ao longo de todo o livro, mas estamos nos referindo a qualquer pessoa que desempenhe o trabalho fundamental de criar, dar apoio e proteger crianças. Nosso objetivo é ensiná-lo a usar as interações do dia a dia como oportunidades para ajudar você e as crianças que lhe são importantes tanto a sobreviver quanto a prosperar. Embora muito do que vai ler possa ser adaptado criativamente para adolescentes – na verdade, planejamos escrever uma sequência que fará justamente isso –, este livro aborda o período que vai do nascimento aos 12 anos de idade, centrando, especialmente, em crianças pequenas, crianças em idade escolar e pré-adolescentes.

Nas páginas seguintes, explicaremos o cérebro por inteiro e forneceremos uma variedade de estratégias para ajudar seus filhos a serem mais felizes, mais saudáveis e mais eles mesmos. O primeiro capítulo aborda a criação de filhos levando o cérebro em consideração e apresenta o conceito simples e poderoso no cerne da abordagem do cérebro por inteiro: integração. O capítulo 2 mostra como ajudar o cérebro esquerdo e o direito de uma criança a funcionarem juntos, para que ela possa estar conectada tanto com o *self* lógico quanto com o *self* emocional. O capítulo 3 enfatiza a importância de conectar o instintivo "cérebro do andar de baixo" com o mais ponderado "cérebro do andar de cima", responsável pela tomada de decisões, a percepção pessoal, a empatia e a moralidade. O capítulo 4 explica como você pode ajudar seus filhos a lidar com momentos dolorosos do passado, compreendendo-os melhor, para que possam ser tratados de forma tranquila, consciente e intencional. O capítulo 5 o ajuda a ensinar a seus filhos que eles têm capacidade de refletir sobre seus próprios estados de espírito.

Quando conseguirem fazer isso, eles poderão fazer escolhas que lhes darão controle sobre como se sentem e como reagem ao mundo. O capítulo 6 destaca formas pelas quais você pode mostrar a seus filhos a felicidade e a realização de estar conectados com outros, ao mesmo tempo que mantêm uma identidade única.

Uma compreensão clara desses aspectos diferentes da abordagem do cérebro por inteiro permitirá que você crie seus filhos de uma forma totalmente nova. Como pais, tentamos poupar nossos filhos de qualquer problema e mágoa, mas, no final das contas, não conseguimos fazer isso. Eles vão levar tombos, se magoar e sentir medo, tristeza e raiva. Na verdade, frequentemente são essas experiências difíceis que lhes permitem crescer e aprender a respeito do mundo. Em vez de tentar proteger nossos filhos das inevitáveis dificuldades da vida, podemos ajudá-los a integrar essas experiências à sua compreensão do mundo e a aprender com elas. A forma como nossos filhos decifram suas jovens vidas não tem a ver apenas com o que acontece a eles, mas também com a forma como seus pais, professores e outros cuidadores reagem.

Um dos nossos principais objetivos foi tornar *O cérebro da criança* o mais útil possível, oferecendo ferramentas específicas para tornar a criação dos filhos mais simples e os relacionamentos com eles mais significativos. Eis um motivo pelo qual praticamente metade de cada capítulo é dedicada a seções "O que você pode fazer", em que fornecemos sugestões e exemplos práticos de como aplicar os conceitos científicos abordados.

Além disso, no fim de cada capítulo você encontrará duas seções elaboradas para ajudar a implementar o novo conhecimento de imediato. A primeira é "Crianças com cérebro por inteiro", escrita para ajudá-lo a ensinar a seus filhos os fundamentos do que foi tratado no capítulo em questão. Pode parecer estranho conversar com crianças pequenas sobre o cérebro – é neurociência, afinal. Contudo, descobrimos que mesmo crianças pequenas – de até 4 ou 5 anos – conseguem realmente entender alguns fundamentos importantes sobre a forma como o cérebro funciona e, por sua vez, compreender a si mesmas, seus comportamentos e sentimentos de maneiras novas e mais perspicazes. Esse conhecimento pode ser muito poderoso para a criança, assim como para o pai que está tentando ensinar, disciplinar e amar de uma maneira boa para ambos. Escrevemos as seções "Crianças com cérebro por inteiro" para um público em idade escolar, mas sinta-se à vontade para adaptar as informações enquanto as lê em voz alta, adequando-as ao nível de desenvolvimento do seu filho.

A outra seção no fim de cada capítulo é chamada "Integrando a nós mesmos". Embora a maior parte do livro enfoque a vida interior do seu filho e a conexão entre vocês, ajudaremos a aplicar os conceitos de cada capítulo à sua própria vida e a seus relacionamentos. Conforme as crianças se desenvolvem, seus cérebros "espelham" os cérebros de seus pais. Em outras palavras, o próprio crescimento e o desenvolvimento do pai e da mãe, ou a falta deles, causam um impacto no cérebro da criança. Conforme os pais se tornam mais cientes e emocionalmente saudáveis, seus filhos colhem tais recompensas e tornam-se igualmente saudáveis. Tal fato significa que integrar e cultivar nosso próprio cérebro é um dos presentes mais carinhosos e amorosos que podemos dar a nossos filhos.

Outra ferramenta que esperamos ser útil é a tabela "Idades e fases", no fim do livro, em que oferecemos um resumo simples de como os temas abordados podem ser colocados em prática de acordo com a idade dos seus filhos. Cada capítulo é elaborado para ajudar a colocar as ideias imediatamente em prática, com múltiplas sugestões para lidar com diversas idades e fases do desenvolvimento infantil. Essa última seção de referência categorizará as sugestões do livro de acordo com a idade e o desenvolvimento das crianças. Se você é mãe de uma criança pequena, por exemplo, poderá encontrar rapidamente um lembrete do que pode fazer para aumentar a integração entre o cérebro esquerdo e o cérebro direito do seu filho. Então, conforme seu filho crescer, você poderá consultar o livro para cada idade e verificar uma lista dos exemplos e sugestões mais relevantes para a nova fase dele.

Além disso, logo antes da seção "Idades e fases" você encontrará uma "Ficha para a geladeira", que destaca brevemente os pontos mais importantes do livro. Você pode fazer uma cópia dessa ficha e colá-la na geladeira, para que você e todos os que amam seus filhos – pais, babás, avós, entre outros – trabalhem juntos pelo bem-estar geral deles.

Esperamos que você esteja percebendo que estamos mantendo-lhe a par de cada etapa para tornar este livro o mais acessível e fácil de ler possível. Como cientistas, enfatizamos a precisão e a exatidão. Como pais, tentamos compreender a prática. Lutamos contra essa tensão e, cuidadosamente, apresentamos as informações mais recentes e importantes de forma clara, útil e prática. Embora o livro certamente tenha bases científicas, você não terá a sensação de estar em uma aula de ciências ou lendo um artigo acadêmico. Sim, é neurociência e somos absolutamente comprometidos em nos manter fiéis ao que demonstram as pesquisas e a ciência. Mas iremos compartilhar essas informações de uma maneira que atraia os leitores, em vez de deixá-los de fora. Passamos nossas carreiras resumindo o complicado – porém fundamental – conhecimento científico sobre o cérebro para que pais possam compreendê-lo e aplicá-lo imediatamente em suas interações com os filhos no dia a dia. Portanto, não se assuste com os assuntos relativos ao cérebro. Acreditamos que você achará tudo fascinante. Muitas das informações básicas são realmente simples de entender e fáceis de usar (se quiser mais detalhes sobre a ciência por trás do que estamos apresentando nestas páginas, dê uma olhada nos livros *O poder da visão mental* e *A mente em desenvolvimento*, de Dan).

Obrigado por se unir a nós nesta jornada rumo a um conhecimento mais completo, e descobrir como é possível ajudar seus filhos a serem mais felizes, mais saudáveis e mais eles mesmos. Ao compreendermos o cérebro, é possível termos um propósito ao ensinarmos nossos filhos, na forma como respondemos a eles e por quê. Podemos fazer muito mais do que simplesmente sobreviver. Ao oferecer a nossos filhos experiências repetidas que desenvolvem o cérebro por inteiro, enfrentamos menos crises ao criá-los. Compreender essa integração permite que conheçamos nossos filhos mais profundamente, tenhamos respostas mais efetivas a situações difíceis e construamos uma base para uma vida inteira de amor e felicidade. Como resultado disso, não apenas nossos filhos prosperam, tanto agora quanto na vida adulta, como nós e toda a família também.

Por favor, visite nosso site e fale sobre suas experiências com a criação de filhos com cérebro por inteiro. Esperamos ouvir suas histórias.

DAN e TINA

http://www.WholeBrainChild.com

1:
CRIAÇÃO DE FILHOS LEVANDO O CÉREBRO EM CONSIDERAÇÃO

Normalmente, os pais são especialistas em relação ao corpo dos filhos. Sabem que temperaturas acima de 37,5°C significam febre. Sabem como limpar um corte para não infeccionar. Sabem quais tipos de alimento podem deixar os filhos mais agitados antes de dormir.

Mas mesmo os pais mais cuidadosos e esclarecidos costumam não ter informações básicas sobre o cérebro de seus filhos. Não é surpreendente? Especialmente quando levamos em consideração o papel central que o cérebro desempenha em virtualmente todos os aspectos da vida de uma criança que importam para os pais: disciplina, tomada de decisão, autoconhecimento, escola, relacionamentos, e assim por diante. Na verdade, o cérebro determina quem somos e o que fazemos. Como é significativamente moldado pelas experiências que oferecemos como pais, saber a forma como o cérebro muda em resposta à nossa forma de criar os filhos pode nos ajudar a torná-los mais fortes e resilientes.

Assim, queremos apresentar a perspectiva do cérebro por inteiro. Vamos explicar alguns conceitos fundamentais sobre esse órgão e ajudar você a aplicar o novo conhecimento de uma forma que tornará a criação de seus filhos mais fácil e mais significativa. Não estamos dizendo que criar um filho com cérebro por inteiro nos livrará de todas as frustrações da paternidade. *Contudo, ao compreender alguns pontos simples e fáceis de dominar sobre como o cérebro funciona, você será capaz de compreender melhor seu filho, responder de maneira mais eficiente a situações difíceis e construir uma base para a saúde social, emocional e mental dele.* O que você faz como pai ou mãe importa, e nós forneceremos ideias diretas e com respaldo científico que o ajudarão a construir um relacionamento forte com seus filhos, capaz de ajudar a moldar o cérebro deles, e que proporcionará uma melhor base para uma vida saudável e feliz.

Vamos contar uma história que ilustra o quanto essas informações podem ser úteis aos pais.

IA UÓ UÓ

Um dia, Marianna recebeu uma ligação no trabalho dizendo que seu filho de 2 anos, Marco, havia sofrido um acidente de carro com a babá. Marco estava bem, mas a babá, que estava dirigindo, havia sido levada ao hospital em uma ambulância.

Marianna, diretora de uma escola de Ensino Fundamental, correu em disparada até o local do acidente, onde soube que a babá havia sofrido um ataque epiléptico enquanto dirigia. Lá, encontrou um bombeiro tentando consolar seu filho, sem sucesso. Segurou Marco nos braços e, imediatamente, ele começou a se acalmar enquanto ela o confortava.

Assim que parou de chorar, Marco começou a contar a Marianna o que havia acontecido. Usando a linguagem de uma criança de 2 anos, que apenas os pais e a babá conseguiriam compreender, Marco repetiu continuamente a frase "Ia Uó Uó". "Ia" é a palavra que ele usava para "Sophia", o nome de sua adorada babá, e "uó uó" era sua versão de sirene de um caminhão de bombeiros (ou, nesse caso, uma ambulância). Ao dizer repetidamente à mãe "Ia uó uó", Marco enfocou o detalhe da história que mais lhe importava: Sofia havia sido tirada dele.

Em uma situação assim, ficaríamos tentados a assegurar a Marco que Sophia ficaria bem e, então, imediatamente, tentaríamos desviar o pensamento dele dessa situação: "Vamos tomar um sorvete!". Nos dias que se seguiriam, muitos pais se esforçariam para não perturbar o filho falando do acidente. O problema da abordagem "vamos tomar um sorvete" é que deixa a criança confusa sobre o que aconteceu e por quê. Ela ainda sente emoções fortes e assustadoras, mas não tem permissão (ou ajuda) para lidar com elas de maneira eficiente.

Marianna não cometeu esse erro. Ela havia tido aulas com Tina sobre criação de filhos e o cérebro e imediatamente fez bom uso do que sabia. Naquela noite e durante a semana seguinte, quando a mente de Marco continuamente o fazia se lembrar do acidente de carro, Marianna o ajudou a recontar a história sem parar. Ela disse: "Sim, você e Sophia sofreram um acidente, né?". Nesse ponto, Marco estendeu os braços e sacudiu-os, imitando a convulsão de Sophia. Marianna continuou: "Sim, Sophia teve uma convulsão, começou a tremer e o carro bateu, não foi?". A declaração seguinte de Marco foi, evidentemente, a conhecida "Ia uó uó", à que Marianna respondeu: "Isso mesmo. A uó uó veio e levou Sophia ao médico. Agora, ela está melhor. Lembra que fomos vê-la ontem? Ela está bem, não está?".

Ao permitir que Marco contasse a história repetidamente, Marianna o ajudou a compreender o que lhe havia acontecido para que pudesse lidar com a situação emocionalmente. Como ela sabia da importância de ajudar o cérebro do filho a processar a experiência assustadora, ajudou-o a contar e recontar os eventos para que pudesse processar o medo e seguir com sua rotina diária de maneira saudável e equilibrada. Ao longo dos dias seguintes, Marco passou a falar cada vez menos do acidente, até se tornar apenas mais uma de suas experiências de vida – ainda que importante.

Ao ler as próximas páginas, você aprenderá questões específicas sobre por que Marianna reagiu dessa forma e por que, tanto prática quanto neurologicamente, foi tão útil a seu filho. Você poderá aplicar os novos conhecimentos sobre o cérebro de diversas maneiras que tornarão a criação de seus filhos mais manejável e significativa.

O conceito no cerne da reação de Marianna, e deste livro, é a *integração*. Uma compreensão clara dessa ideia dará a você o poder de transformar completamente o que pensa sobre como criar seus filhos. Isso o ajudará a aproveitar mais a companhia deles e prepará-los melhor para viver uma vida emocionalmente rica e recompensadora.

O QUE É INTEGRAÇÃO E POR QUE É IMPORTANTE?

A maioria de nós não pensa no fato de que nosso cérebro tem muitas partes diferentes com funções diversas. O lado esquerdo, por exemplo, nos ajuda a pensar logicamente e a organizar pensamentos em frases, e o lado direito, a sentir emoções e a ler sinais não verbais. Temos ainda um "cérebro reptiliano", que nos permite agir instintivamente e tomar decisões de sobrevivência em frações de segundos, e um "cérebro mamífero", que nos guia em direção a conexões e relacionamentos. Uma parte do nosso cérebro é dedicada a lidar com a memória, e outra, a tomar decisões morais e éticas. É quase como se nosso cérebro tivesse múltiplas personalidades – algumas racionais, algumas irracionais; algumas ponderadas, algumas reativas. Não é de admirar que possamos parecer pessoas diferentes em momentos diversos!

O segredo para prosperar é ajudar essas partes a trabalharem juntas, ou seja, integrá-las. A integração pega partes diferentes do cérebro e as ajuda a trabalharem juntas, como um todo. Tal ação se assemelha ao que ocorre com o corpo, que tem diferentes órgãos para realizar várias funções: os pulmões respiram o ar, o coração bombeia o sangue, o estômago digere a comida. Para o corpo ser saudável, todos esses órgãos precisam estar integrados. Em outras palavras, cada um deles precisa executar suas funções individuais ao mesmo tempo que todos trabalham juntos como um todo. Integração é simplesmente isso: juntar elementos diferentes para produzir um todo que funcione bem. Assim como ocorre com o funcionamento saudável do corpo, nosso cérebro não consegue se desempenhar ao máximo, a menos que suas partes diferentes trabalhem juntas, de maneira coordenada e equilibrada. É isso que a integração faz: coordena e equilibra as regiões separadas do cérebro que conecta. É fácil perceber quando nossos filhos não estão integrados – eles ficam imersos nas próprias emoções, confusos e caóticos. Não conseguem reagir de maneira tranquila e competente à situação em que se encontram. Birras, ataques de fúria, agressividade e a maioria das experiências desafiadoras da criação de filhos – e da vida – são o resultado da perda de integração, também conhecida como desintegração.

Queremos ajudar nossos filhos a se integrarem melhor para usar todo o cérebro de forma coordenada. Por exemplo, desejamos que sejam *horizontalmente integrados*, para que a lógica do cérebro esquerdo possa funcionar bem com a emoção do cérebro direito. Também queremos que sejam *verticalmente integrados*, para que as partes fisicamente mais altas do cérebro, que os deixam pensar cuidadosamente em suas ações, funcionem bem com as partes mais baixas, relacionadas com instinto, reações emocionais e sobrevivência.

A forma como a integração realmente ocorre é fascinante e a maioria das pessoas não tem consciência disso. Nos últimos anos, cientistas desenvolveram a tecnologia de tomografia cerebral, possibilitando que pesquisadores estudem o cérebro como nunca antes. Essa nova tecnologia confirmou muito do que acreditávamos anteriormente em relação ao cérebro. No entanto, uma das surpresas que abalaram a base da neurociência é que o cérebro é "plástico" ou moldável. Isso significa que se modifica fisicamente durante a vida, não apenas na infância, como supúnhamos anteriormente.

O que molda nosso cérebro? A experiência. Mesmo na velhice, nossas experiências realmente modificam sua estrutura física. Quando passamos por uma experiência, nossas células cerebrais – chamadas neurônios – tornam-se ativas ou "disparam". O cérebro tem 100 bilhões de neurônios, cada um com uma média de 10 mil conexões com outros neurônios. A forma pela qual circuitos específicos no cérebro são ativados determina a natureza da nossa atividade mental, incluindo a percepção de imagens e sons ao pensamento e raciocínio mais abstratos. Quando os neurônios disparam juntos, originam novas conexões entre si. Ao longo do tempo, as conexões que resultam desses disparos conduzem a uma "reprogramação" no cérebro. Essa é uma notícia extremamente empolgante, pois significa que não somos prisioneiros durante o restante da vida da forma como nosso cérebro funciona neste instante – podemos realmente reprogramá-lo para sermos mais saudáveis e felizes. Isso vale não apenas para crianças e adolescentes, mas também para cada um de nós em qualquer idade.

Neste exato momento, o cérebro do seu filho está sendo constantemente programado e reprogramado, e as experiências que você lhe proporcionar terão grande importância para determinar a estrutura do cérebro dele. Nada de pressão, certo? Mas não se preocupe. A natureza garantiu que a arquitetura básica do cérebro desenvolver-se-á bem se receber comida, sono e estímulos adequados. Os genes, é claro, desempenham um papel fundamental em como as pessoas serão, especialmente quanto ao temperamento. Contudo, descobertas de diversas áreas da psicologia do desenvolvimento sugerem que tudo o que acontece conosco – a música que ouvimos, as pessoas que amamos, os livros que lemos, o tipo de disciplina que recebemos, as emoções que sentimos – afeta profundamente a forma como nosso cérebro se desenvolve. Em outras palavras, acima de nossa arquitetura cerebral básica e de nosso temperamento inato, os pais têm muito a fazer para oferecer os tipos de experiências que ajudarão a desenvolver um cérebro resiliente e bem integrado. Este livro mostrará como usar as experiências do dia a dia para ajudar o cérebro do seu filho a se tornar cada vez mais integrado.

Por exemplo, crianças cujos pais conversam com elas sobre suas experiências tendem a recordar melhor as lembranças desses aprendizados. Pais que falam com os filhos sobre seus sentimentos nos fazem desenvolver inteligência emocional e possibilitam que compreendam melhor os próprios sentimentos e os sentimentos das outras pessoas. Crianças tímidas cujos pais alimentam um sentimento de coragem ao lhes oferecer explorações solidárias do mundo tendem a perder a inibição comportamental, enquanto os que são excessivamente protegidos ou empurrados insensivelmente para experiências causadoras de ansiedade sem apoio tendem a manter a timidez.

Há todo um campo da ciência do desenvolvimento infantil e apego dando respaldo a essa visão – e novas descobertas na área da neuroplasticidade reforçam a perspectiva de que os pais podem moldar diretamente o crescimento do cérebro dos filhos conforme as experiências que oferecerem. Por exemplo, horas diante de telas – jogando videogame, vendo televisão, enviando mensagens de texto – programarão o cérebro de determinadas maneiras. Atividades educativas, esportes e música programarão de outras maneiras. Passar tempo com a família e os amigos e aprender sobre relacionamentos, especialmente com interações frente a frente, também programará o cérebro de outras formas. Tudo o que nos acontece afeta a forma como o cérebro se desenvolve.

É desse processo de programação e reprogramação que se trata a integração: dar a nossos filhos experiências para criar conexões entre diferentes partes do cérebro. Quando essas partes colaboram, criam e reforçam as fibras integrativas que conectam as diversas partes do cérebro. Como resultado, são conectadas de formas muito mais poderosas e podem funcionar juntas de maneira ainda mais harmoniosa. Assim como cantores individuais de um coral podem combinar suas vozes distintas em uma harmonia que seria impossível para uma única pessoa criar, um cérebro integrado é capaz de fazer muito mais do que suas partes individuais poderiam realizar sozinhas.

É o que queremos fazer com cada um de nossos filhos: ajudar seu cérebro a se tornar mais integrado para que eles possam usar seus recursos mentais ao máximo. Foi exatamente o que Marianna fez por Marco. Quando o ajudou a contar e recontar a história diversas vezes ("Ia uó uó"), ela desarmou as emoções assustadoras e traumáticas do cérebro direito dele para que elas não o dominassem. Ela fez isso buscando detalhes factuais e lógicos no cérebro esquerdo – que, aos 2 anos de idade, está apenas começando a se desenvolver –, para que ele pudesse lidar com o acidente de uma forma que fizesse sentido para ele.

Se sua mãe não o tivesse ajudado a contar e compreender a história, os medos de Marco não teriam sido resolvidos e poderiam emergir de outras formas. Ele poderia ter desenvolvido fobia de andar de carro ou de ficar separado dos pais, ou seu cérebro direito poderia ter saído de controle de outras maneiras, fazendo-o ter ataques frequentes de birras. Em vez disso, ao contar a história com Marco, Marianna o ajudou a focar a atenção tanto nos detalhes reais do acidente quanto em suas emoções, o que lhe permitiu usar os lados esquerdo e direito do cérebro juntos, literalmente fortalecendo a conexão de ambos (explicaremos esse conceito específico de modo mais completo no capítulo 2). Ao ajudá-lo a se tornar mais integrado, ele voltará a ser um menino de 2 anos em desenvolvimento normal, em vez de vivenciar o medo e a aflição que sentiu.

Vejamos outro exemplo. Agora que você e seus irmãos são adultos, ainda brigam para saber quem vai apertar o botão do elevador? É claro que não (bem, esperamos que não). Mas seus filhos brigam por isso? Se forem crianças típicas, sim.

O motivo por trás dessa diferença nos traz de volta ao cérebro e à integração. A rivalidade entre irmãos é como tantas outras questões que dificultam o trabalho de criar filhos

– birras, desobediências, batalhas em torno do dever de casa, problemas de disciplina e assim por diante. Conforme explicaremos nos próximos capítulos, esses desafios cotidianos da criação de filhos resultam da *falta de integração* dentro do cérebro do seu filho. O motivo pelo qual o cérebro dele nem sempre é capaz de integrar-se é simples: ele ainda não teve tempo de se desenvolver. Na verdade, ainda tem um longo caminho a percorrer, uma vez que o cérebro de uma pessoa só é considerado totalmente desenvolvido aos vinte e poucos anos.

Esta é a má notícia: você precisa esperar o cérebro do seu filho se desenvolver. É isso mesmo. Não importa o quanto você considere seu filho em idade pré-escolar brilhante, visto que ainda não tem o cérebro de uma criança de 10 anos de idade, e isso ainda levará vários anos. O ritmo de amadurecimento do cérebro é influenciado pelos genes que herdamos, mas o grau de integração pode ser exatamente o que podemos influenciar no trabalho diário de criação de nossos filhos.

Ao usar momentos do dia a dia, a boa notícia é que *você pode influenciar com que eficiência o cérebro de seus filhos crescerá rumo à integração*. Primeiro, você pode desenvolver os diversos elementos do cérebro deles, oferecendo-lhes oportunidades para exercitá-los. Em segundo lugar, você pode facilitar a integração para que as partes separadas se tornem mais bem conectadas e trabalhem juntas de forma poderosa. Isso não vai fazer seus filhos crescerem mais rapidamente – simplesmente vai ajudá-los a desenvolver as muitas partes de si mesmos e integrá-las. Também não estamos falando sobre exaurir a si mesmo (e a seus filhos), tentando freneticamente preencher todas as experiências de importância e significado. Estamos falando sobre simplesmente estar presente para seus filhos, para poder ajudá-los a se tornarem mais bem integrados.

Como resultado, prosperarão emocional, intelectual e socialmente. Um cérebro integrado resulta em tomada de decisão aprimorada, melhor controle do corpo e das emoções, autocompreensão mais completa, relacionamentos mais fortes e sucesso escolar. Tudo começa com as experiências que os pais e outros cuidadores oferecem, estabelecendo as bases para a integração e a saúde mental.

ENTRE NO FLUXO: NAVEGANDO AS ÁGUAS ENTRE O CAOS E A RIGIDEZ

Vamos ser um pouco mais específicos em relação ao que ocorre quando alguém – criança ou adulto – está vivendo em estado de integração. Quando uma pessoa é bem integrada, desfruta de saúde mental e bem-estar, mas isso não é exatamente fácil de definir. Na verdade, embora bibliotecas inteiras tenham sido escritas a respeito de *doenças* mentais, a *saúde* mental é raramente definida. Dan foi pioneiro ao criar uma definição de saúde mental que pesquisadores e terapeutas ao redor do mundo estão começando a usar. Tal teoria baseia-se no conceito de integração e envolve uma compreensão da complexa dinâmica em torno dos relacionamentos e do cérebro. Uma maneira simples de expressá-la, porém, é descrever a saúde mental como nossa capacidade de nos mantermos em um "rio de bem-estar".

Imagine um rio tranquilo correndo pelo campo. Esse é o seu rio de bem-estar. Sempre que está na água, flutuando calmamente em sua canoa, você costuma se sentir em um bom relacionamento com o mundo a seu redor. Tem uma clara compreensão de si mesmo, das outras pessoas e da sua vida.

Consegue ser flexível e se ajustar quando as situações mudam. Você se sente estável e em paz.

Às vezes, no entanto, enquanto navega, aproxima-se demais de uma das margens do rio, o que lhe provoca diferentes problemas, dependendo de qual margem se aproxima. Uma margem representa o caos, onde você se sente fora de controle. Em vez de navegar no rio pacífico, você é apanhado pela força das corredeiras turbulentas e a confusão e a desordem dominam o dia. Você precisa se afastar da margem do caos e voltar para o fluxo suave do rio.

Mas não se afaste demais, porque a outra margem apresenta seus próprios perigos. É a margem da rigidez, que é o oposto do caos. Em oposição à falta de controle, a rigidez *impõe* controle sobre tudo e todos ao redor. Você reluta completamente a se adaptar, comprometer ou negociar. Próxima à margem da rigidez, a água tem um odor estagnado e juncos e galhos de árvores impedem que sua canoa avance na corrente do rio de bem-estar.

Assim, um extremo é o caos, em que há total falta de controle. O outro extremo é a rigidez, em que há controle demais, gerando uma falta de flexibilidade e adaptabilidade. Todos navegamos rumo a essas margens e voltamos delas ao longo de nossos dias – especialmente quando tentamos sobreviver à criação dos filhos. Quando nos aproximamos das margens do caos ou da rigidez, afastamo-nos mais da nossa saúde mental e emocional. Quanto mais tempo conseguirmos evitar esbarrar em ambas as margens, mais tempo passamos aproveitando o rio de bem-estar. Muito de nossa vida adulta pode ser vista como transitando por esses caminhos – às vezes em harmonia com o fluxo de bem-estar, às vezes com caos e rigidez ou então ziguezagueando entre ambos. A harmonia vem da integração. O caos e a rigidez se apresentam quando a integração é bloqueada.

CAPÍTULO 1

Tudo isso se aplica a nossos filhos também. Eles têm suas pequenas canoas e navegam em seus próprios rios de bem-estar. Muitos dos desafios que enfrentamos como pais resultam das vezes em que nossos filhos não estão seguindo o fluxo, quando estão confusos ou inflexíveis demais. Seu filho de 3 anos não empresta o brinquedo dele no parque? Inflexível. Ele começa a chorar, berrar e a atirar areia quando o novo amigo leva o barco embora? Confuso. O que você pode fazer é ajudá-lo a voltar para o leito do rio, em um estado harmonioso que evita tanto a desordem quanto a rigidez.

O mesmo vale para crianças mais velhas. Sua filha de 10 anos, normalmente tranquila, está chorando histericamente porque não ganhou o trecho musical com solo que queria na peça da escola. Ela se recusa a se acalmar e fica dizendo sem parar que tem a melhor voz da turma. Na verdade, ela está ziguezagueando entre as margens do caos e da rigidez, uma vez que suas emoções claramente tomaram conta de sua lógica. Como resultado disso, teimosamente, não quer reconhecer que outra menina pode ser tão talentosa como ela. Você pode guiá-la de volta ao fluxo do bem-estar para que ela obtenha um melhor equilíbrio consigo mesma e passe a um estado mais integrado (não se preocupe – forneceremos várias maneiras de fazer isso).

Praticamente todos os momentos de sobrevivência se encaixam nesse modelo de uma forma ou outra. Talvez você se espante ao ver o quanto as ideias de caos e rigidez ajudam a compreender os comportamentos mais difíceis dos seus filhos. Esses conceitos nos permitem "medir a temperatura" do quanto os seus filhos estão bem integrados a qualquer momento. Se você observa confusão e/ou inflexibilidade, sabe que ele não se encontra em um estado de integração. Da mesma forma, quando ele *se encontra* em estado de integração, demonstra as qualidades que associamos a alguém mental e emocionalmente saudável: é flexível, adaptável, estável e capaz de compreender a si mesmo e ao mundo ao redor. A poderosa e prática abordagem da integração nos permite enxergar muitas formas nas quais nossos filhos – ou nós mesmos – vivenciam o caos e a rigidez devido ao bloqueio da integração. Quando nos conscientizamos disso, podemos criar e aplicar estratégias que promovem a integração na vida de nossos filhos e nas nossas. São as estratégias cotidianas de cérebro que exploraremos em cada um dos capítulos a seguir.

2:

DOIS CÉREBROS SÃO MELHORES DO QUE UM

INTEGRANDO O ESQUERDO E O DIREITO

A filha de 4 anos de Thomas, Katie, adorava a pré-escola e não se importava de se despedir do pai quando ele ia embora – até o dia em que ela ficou doente durante a aula. A professora ligou para Thomas, que foi buscá-la imediatamente. No dia seguinte, Katie começou a chorar quando chegou o momento de se arrumar para ir à escola, embora já estivesse se sentindo bem. Tal situação se repetiu manhã após manhã nos dias seguintes. Ele conseguia vesti-la, mas tudo piorava quando ambos chegavam à escola.

Segundo Thomas, Katie ficava cada vez mais "fora de controle" quando eles saíam do carro no estacionamento da escola. Primeiro, ela começou a praticar uma espécie de desobediência civil conforme eles se aproximavam do prédio da escola. Ela caminhava ao lado do pai, mas como, de alguma forma, conseguia transformar seu corpinho em algo mais pesado do que um piano de cauda, sua resistência transformava a caminhada dos dois em algo mais parecido com o arrastar de algo. Então, quando chegavam à sala de aula, ela apertava a mão do pai com mais força e prendia-se à perna dele, soltando todo o peso do corpo. Quando, finalmente, conseguia se desvencilhar das garras dela e sair da sala, ele a ouvia gritar mais alto do que as outras crianças: "Eu vou morrer se você me deixar aqui!".

Esse tipo de ansiedade de separação é normal com crianças pequenas. Às vezes, a escola pode ser um lugar assustador. Contudo, conforme Thomas explicou, "Katie simplesmente vivia para ir à escola antes de ficar doente. Ela adorava as atividades, os amigos, as histórias. Adorava a professora".

Então, o que foi que aconteceu? Como a simples experiência de adoecer criou um medo tão extremo e irracional em Katie? Qual seria a melhor maneira de Thomas reagir? Seu objetivo imediato: definir uma estratégia para Katie voltar a ir à escola com vontade. Esse era seu objetivo de "sobrevivência". No entanto, ele também queria transformar essa experiência difícil em uma oportunidade que beneficiaria Katie tanto a curto quanto a longo prazo. Esse era seu objetivo de "prosperidade".

Vamos voltar para como Thomas lidou com a situação, usando seus conhecimentos básicos sobre o cérebro para transformar um momento de sobrevivência em uma oportunidade para ajudar sua filha a prosperar. Especificamente, ele compreendia o que vamos demonstrar agora, ou seja, alguns princípios simples sobre como funcionam os dois lados diferentes do cérebro.

CÉREBRO ESQUERDO, CÉREBRO DIREITO: UMA INTRODUÇÃO

Provavelmente, você sabe que o cérebro é dividido em dois hemisférios. Não apenas esses dois lados são anatomicamente separados, mas também funcionam de modos muito diferentes. Há até quem diga que ambos têm personalidades distintas, cada um com uma "mente própria". A comunidade científica se refere à forma como os diferentes lados do cérebro nos influenciam como modalidades hemisfério esquerdo e hemisfério direito. Mas, em nome da simplicidade, vamos usar a forma mais comum e falar sobre o cérebro esquerdo e o cérebro direito.

Seu cérebro esquerdo ama e deseja a ordem. É *lógico, literal, linguístico* (gosta de palavras) e *linear* (põe as coisas em sequência ou ordem). O cérebro esquerdo *ama* que todas essas quatro palavras comecem com a letra L (e também ama listas).

Por outro lado, o cérebro direito é holístico e não verbal, enviando e recebendo sinais que permitem que nos comuniquemos, como expressões faciais, contato visual, tom de voz, postura e gestos. Em vez de detalhes e ordem, nosso cérebro direito se importa com o quadro global – o significado e a sensação de uma experiência – e é especialista em imagens, emoções e lembranças pessoais. O cérebro direito nos dá um "pressentimento" ou uma "percepção". Alguns dizem que é mais intuitivo e emocional e usaremos esses termos nas páginas seguintes como forma mais direta para falar sobre o que o cérebro direito faz. Tecnicamente, esse lado do cérebro é mais influenciado pelo corpo e as áreas mais baixas dele permitem-lhe receber e interpretar informações emocionais. Pode ficar complicado, mas a ideia básica é que, enquanto o cérebro esquerdo é lógico, linguístico e literal, o direito é emocional, não verbal, experimental e autobiográfico – e não se importa com o fato de todas essas palavras não começarem com a mesma letra.

Você pode pensar da seguinte maneira: o cérebro esquerdo se importa com a *letra da lei* (mais daqueles Ls). Como sabemos, conforme as crianças crescem, ficam muito boas no uso deste pensamento do cérebro esquerdo: "Não dei um encontrão nela! Eu empurrei ela". Por outro lado, o cérebro direito se importa com os *princípios da lei*, as emoções e experiências dos relacionamentos. O esquerdo enfoca o texto – o direito, o contexto. Foi o cérebro direito não lógico e emocional que fez Katie gritar para o pai: "Eu vou morrer se você me deixar aqui!".

Em termos de desenvolvimento, crianças muito pequenas têm o hemisfério direito predominante, especialmente durante os três primeiros anos de vida. Elas ainda não dominaram a capacidade de usar a lógica e palavras para expressar sentimentos e vivem sua vida completamente no momento – motivo pelo qual deixarão tudo de lado para agachar e ficar totalmente absortas assistindo a uma joaninha atravessar a calçada, sem se importar com o atraso para a aula de música para bebês. Lógica, responsabilidades e horário não existem para elas ainda. Mas quando uma criança pequena começa a perguntar "por quê?" o tempo todo, sabemos que o cérebro esquerdo está realmente começando a entrar em ação. Por quê? Porque nosso cérebro esquerdo gosta de compreender os relacionamentos causa-efeito lineares do mundo – e de expressar essa lógica com linguagem.

DUAS METADES FAZEM UM INTEIRO: COMBINANDO O ESQUERDO E O DIREITO

Para vivermos uma vida equilibrada, significativa e criativa, repleta de relacionamentos conectados, é fundamental que nossos dois hemisférios funcionem juntos. A própria arquitetura do cérebro é projetada dessa forma. Por exemplo, o corpo caloso é um feixe de fibras que percorre o centro do cérebro, conectando o hemisfério direito com o esquerdo. A comunicação que ocorre entre ambos é conduzida através dessas fibras, permitindo que os dois hemisférios trabalhem como uma equipe – que é exatamente o que queremos para nossos filhos. Queremos que se tornem *horizontalmente integrados*, para que os dois lados de seu cérebro possam agir em harmonia. Dessa forma, nossos filhos valorizarão *tanto a lógica quanto as emoções*. Serão equilibrados e capazes de compreender a si mesmos e o mundo de modo geral.

O cérebro tem dois lados com funções especializadas, então podemos atingir objetivos mais complexos e realizar tarefas mais intricadas e sofisticadas. Problemas graves surgem quando os dois lados *não se integram* e acabamos tendo experiências principalmente com um lado ou outro. Usar apenas o cérebro esquerdo ou o direito é como tentar nadar apenas com um braço. Talvez consigamos fazer isso, mas não seríamos mais bem-sucedidos – e evitaríamos nadar em círculos – se usássemos os dois braços?

O mesmo ocorre com o cérebro. Pense nas emoções, por exemplo. São absolutamente fundamentais se desejamos viver de maneira significativa, mas não queremos que dominem completamente nossa vida. Se o cérebro direito assumisse o controle e ignorássemos a lógica do esquerdo, sentiríamos como se estivéssemos nos afogando em imagens, sensações corporais e o que poderia se parecer com uma inundação emocional. Mas, ao mesmo tempo, não queremos usar apenas o cérebro esquerdo, separando nossa lógica e linguagem dos sentimentos e das experiências pessoais. Isso pareceria um deserto emocional.

O objetivo é evitar viver em uma inundação ou em um deserto emocional. Queremos permitir que nossas imagens não racionais, memórias autobiográficas e emoções vitais desempenhem papéis importantes, mas também queremos integrá-las com as partes de nós mesmos que ordenam e estruturam nossa vida. Quando Katie perdia o controle ao ser deixada na pré-escola, funcionava majoritariamente o cérebro direito. Como resultado disso, Thomas testemunhava uma ilógica inundação emocional, em que o cérebro direito emocional dela não funcionava de forma coordenada com o cérebro esquerdo lógico.

Aqui é importante observar que não são apenas as inundações emocionais de nossos filhos que causam problemas. Um deserto emocional, em que os sentimentos e o cérebro direito são ignorados ou negados, não é mais saudável do que uma inundação. Vemos essa reação mais frequentemente em crianças mais velhas. Por exemplo, Dan conta a história de uma conversa que teve com uma menina de 12 anos de idade que passava por uma situação que muitos de nós vivenciamos:

> Amanda falou sobre uma briga que tivera com a melhor amiga. Sabia, pela mãe dela, que a briga havia sido extremamente dolorosa para Amanda, mas, quando falou a esse respeito, ela apenas deu de ombros e ficou olhando pela janela, dizendo: "Não me importo se nunca mais nos falarmos. Ela me irrita mesmo". A expressão no rosto dela parecia fria e resignada, mas no sutil estremecimento do lábio inferior e no suave abrir e fechar das pálpebras, quase como um tremor, pude perceber os sinais não verbais do hemisfério direito revelando o que poderíamos chamar de seus "sentimentos reais". Rejeição é algo doloroso e, nesse momento, a forma de Amanda lidar com essa sensação de vulnerabilidade foi "se retirar para a esquerda", correndo para o árido (mas previsível e controlável) deserto emocional do lado esquerdo do cérebro.
>
> Precisava ajudá-la a compreender que, embora fosse difícil pensar sobre o conflito com a amiga, precisava prestar atenção, e mesmo respeitar, o que estava acontecendo em seu cérebro direito, uma vez que este está mais diretamente conectado com nossas sensações corporais e os estímulos das partes mais baixas do cérebro que se combinam para criar nossas

emoções. Dessa forma, todas as imagens, sensações e memórias autobiográficas da direita são repletas de emoção. Quando ficamos chateados, pode parecer mais seguro nos retirarmos dessa imprevisível consciência do lado direito e nos abrigarmos na terra mais previsível e controlada do lado esquerdo.

O segredo para ajudar Amanda foi entrar em sintonia com aqueles sentimentos verdadeiros com cuidado. Não observei abruptamente que ela estava escondendo, até mesmo de si mesma, o quanto aquela pessoa importante na vida dela a havia magoado. Em vez disso, permiti-me sentir o que ela estava sentindo, então tentei comunicar meu cérebro direito com o direito dela. Ao usar expressões faciais e posturais, deixei-a saber que estava realmente sintonizado com suas emoções. Essa sintonia ajudou-a a "se sentir sentida" – saber que não estava sozinha, que eu estava interessado no que ela estava, de fato, sentindo internamente, e não apenas no que estava fazendo externamente. Então, depois que estabelecemos essa conexão, as palavras passaram a vir mais naturalmente para ambos e chegamos ao fundo do que estava acontecendo dentro dela. Ao lhe pedir para contar a briga com a melhor amiga e fazê-la pausar a história em momentos diferentes para observar mudanças sutis em seus sentimentos, consegui reapresentar a Amanda suas verdadeiras emoções e ajudá-la a lidar com elas de maneira produtiva. Foi assim que tentei me conectar tanto com o cérebro direito, com seus sentimentos, sensações corporais e imagens, quanto com o esquerdo, com suas palavras e sua capacidade de contar a história linear de sua experiência. Quando vemos como isso acontece no cérebro, podemos compreender como conectar um lado com o outro pode modificar completamente o resultado de uma interação.

Não desejamos que nossos filhos sofram, mas queremos que façam mais do que simplesmente atravessar os momentos difíceis. Queremos que enfrentem os problemas e cresçam com eles. Quando Amanda se retirou para a esquerda, escondendo-se de todas as emoções dolorosas que estavam passando por seu cérebro direito, negou uma importante parte de si mesma que precisava reconhecer.

A negação de nossas emoções é o único perigo que enfrentamos quando contamos demais com nosso cérebro esquerdo. Podemos também nos tornar literais demais, o que nos deixa sem um senso de perspectiva, esquecendo o significado que resulta de colocar as coisas em contexto (uma especialidade do cérebro direito). Isso é parte do que deixa sua filha de oito anos na defensiva e irritada, às vezes, quando você faz uma piada inocente com ela. Lembre-se de que o cérebro direito está encarregado de ler os sinais não verbais. Assim, principalmente se ela estiver cansada ou mal-humorada, poderá enfocar apenas suas palavras e ignorar o tom de voz divertido e a piscada que acompanharam a brincadeira.

Recentemente, Tina testemunhou um exemplo divertido do que pode acontecer quando o cérebro esquerdo literal assume controle demais. Quando seu filho mais novo completou 1 ano de idade, ela encomendou o bolo de aniversário em um mercado local. Ela pediu um "bolo *cupcake*", que são vários *cupcakes* unidos com cobertura para se parecerem com um bolo grande. Quando fez o pedido, solicitou que o confeiteiro escrevesse as iniciais do nome do filho dela – JP – nos *cupcakes*. Infelizmente, quando ela apanhou o bolo antes da festa, percebeu imediatamente um problema que demonstra o que pode ocorrer quando uma pessoa se torna literal demais com o cérebro esquerdo. (Veja a imagem na página seguinte).[2]

---

2 Nota da Editora: A inscrição "JP on the *cupcakes*", no bolo, significa, em português, "JP nos *cupcakes*".

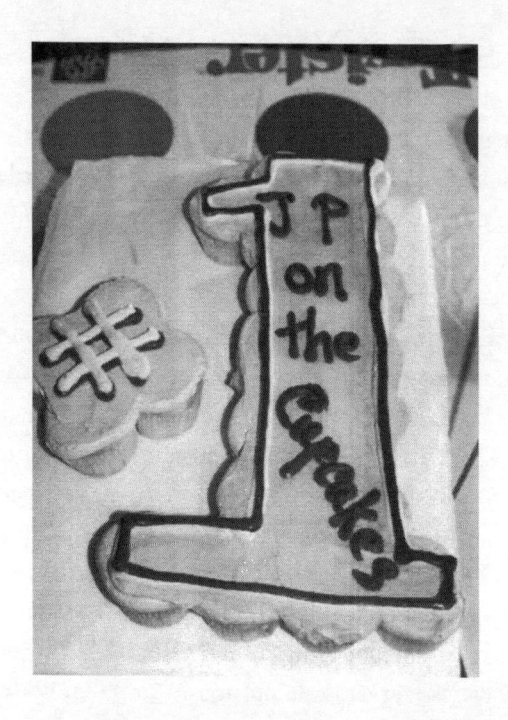

O objetivo, então, é ajudar nossos filhos a aprenderem a usar os dois lados do cérebro juntos – a integrarem os hemisférios esquerdo e direito, lembrando-se do rio de bem-estar mencionado mais cedo, com o caos sendo uma margem, e a rigidez, a outra. Definimos saúde mental como a permanência do fluxo harmonioso entre esses dois extremos. Ao ajudarmos nossos filhos a conectarem esquerda e direita, podemos lhes dar uma chance melhor de evitar as margens do caos e da rigidez e de viver na corrente flexível da saúde mental e da felicidade.

Integrar o cérebro esquerdo com o direito ajuda a evitar que as crianças se aproximem demais de uma margem ou outra. Quando as emoções cruas do cérebro direito não são combinadas com a lógica do esquerdo, ficarão como as de Katie, navegando perto demais da margem do caos. Isso significa que precisamos ajudá-los a trazer o cérebro esquerdo para obter alguma perspectiva e lidar com as emoções de maneira positiva. Da mesma forma, se estiverem negando as próprias emoções e retirando-se para a esquerda, como Amanda estava fazendo, eles estarão abraçando a margem da rigidez. Nesse caso, precisamos ajudá-los a usar mais o cérebro direito para se abrirem a novos estímulos e experiências.

Então, como promovemos a integração horizontal no cérebro de nossos filhos? Eis duas estratégias que podem ser usadas imediatamente quando "oportunidades de integração" surgirem em sua família. Ao usar essas técnicas, você estará dando passos imediatos rumo à integração dos hemisférios esquerdo e direito do cérebro de seus filhos.

O que você pode fazer: ajudando seu filho a usar os dois lados do cérebro

ESTRATÉGIA DO CÉREBRO POR INTEIRO Nº 1:
CONECTAR E REDIRECIONAR: SURFANDO NAS ONDAS EMOCIONAIS

Certa noite, o filho de 7 anos de Tina reapareceu na sala logo depois de ir para a cama, dizendo que não estava conseguindo dormir. Ele estava claramente chateado e explicou:

— Estou bravo porque você nunca me deixa um bilhete no meio da noite!

Surpresa com a explosão incomum, Tina respondeu:
– Eu não sabia que você queria isso.

A reação dele foi soltar toda uma ladainha acelerada de reclamações:

– Você nunca faz nada legal para mim. Estou bravo porque ainda faltam dez meses para o meu aniversário e odeio fazer o dever de casa!

Lógico? Não. Familiar? Sim. Todos os pais vivem situações em que os filhos dizem coisas e ficam incomodados com problemas que não parecem fazer sentido. Um encontro como esse pode ser frustrante, especialmente quando esperamos que nossos filhos tenham idade suficiente para agir racionalmente e manter uma conversa lógica. De repente, porém, ficam irritados com algo ridículo e parece que simplesmente nenhuma argumentação sua poderá ajudá-los.

Baseados em nosso conhecimento dos dois lados do cérebro, sabemos que o filho de Tina estava experimentando grandes ondas de emoções do cérebro direito sem muito equilíbrio lógico do cérebro esquerdo. Em um momento como este, uma das coisas menos eficazes que Tina poderia fazer seria se defender ("É claro que faço coisas legais para você!") ou discutir com o filho sobre a lógica equivocada dele ("Não há nada que eu possa fazer para adiantar o seu aniversário. O dever de casa simplesmente é uma tarefa que você precisa fazer"). Esse tipo de reação lógica do cérebro esquerdo bateria de frente no muro nada receptivo do cérebro direito e criaria um abismo entre eles. Afinal, o cérebro esquerdo lógico dele não estava em lugar algum naquele momento. Assim, se Tina tivesse reagido com o cérebro esquerdo, o filho teria a impressão de que ela não o compreendia ou se importava com seus sentimentos. Ele estava em uma inundação irracional e emocional do cérebro direito e uma resposta do cérebro esquerdo teria sido uma abordagem em que todos sairiam perdendo.

Embora fosse praticamente automático (e muito tentador) perguntar a ele: "Do que você está falando?" ou mandá-lo voltar para a cama imediatamente, Tina se conteve. Em vez disso, usou a técnica de conectar e redirecionar. Ela o puxou para perto de si, acariciou suas costas e, com um tom de voz carinhoso, disse:

– Às vezes, as coisas ficam muito difíceis, né? Jamais me esqueceria de você. Estou sempre pensando em você e quero que saiba o quanto é especial para mim.

Ela o abraçou enquanto ele explicava que às vezes tinha a impressão de que o irmão mais novo ganhava mais atenção dela e que o dever de casa tirava muito do tempo livre dele. Enquanto ele falava, ela pôde senti-lo ficar mais relaxado e tranquilo. Ele se sentiu ouvido e cuidado. Então, ela tratou brevemente das questões específicas que ele havia mencionado, pois agora estava mais receptivo à solução de problemas e planejamento, e ambos concordaram em conversar mais de manhã.

Em um momento como este, os pais se perguntam se o filho realmente está precisando de atenção ou está apenas tentando adiar a hora de dormir. Criar filhos com cérebro por inteiro não significa se deixar ser manipulado ou reforçar maus comportamentos. Pelo contrário, ao compreender como o cérebro de nossos filhos funciona, podemos estabelecer uma cooperação muito mais rápida e, frequentemente, com muito menos drama. Nesse caso, como Tina compreendeu o que estava acontecendo no cérebro do filho, ela viu que a resposta mais eficaz seria se conectar com o cérebro direito dele. Ela o escutou e confortou-o, usando o próprio cérebro direito, e em menos de cinco minutos ele estava de novo na cama. Se, por outro lado, ela tivesse sido ríspida e dado uma bronca por ele estar fora da cama, usando a lógica do cérebro esquerdo e aplicando a *letra da lei*, ambos teriam se irritado muito mais – e ela precisaria muito mais do que cinco minutos para acalmá-lo o suficiente e fazê-lo dormir.

O mais importante é que a resposta de Tina foi cuidadosa e carinhosa. Embora os problemas do filho parecessem bobos e talvez ilógicos para ela, ele genuinamente sentia que as coisas não eram justas e suas reclamações eram legítimas. Ao se conectar com ele, cérebro direito com cérebro direito, ela foi capaz de lhe expressar que sabia como ele estava se sentindo. Mesmo que ele estivesse fazendo hora, essa reação do cérebro direito foi a abordagem mais eficaz, uma vez que permitiu a ela não apenas atender à necessidade dele por conexão, mas também o redirecionar para a cama mais rapidamente. Em vez de lutar contra as imensas ondas de inundação emocional dele, Tina surfou nelas, respondendo ao cérebro direito.

Essa história nos faz compreender algo importante: *quando uma criança está incomodada, a lógica frequentemente não funcionará até que tenhamos atendido às necessidades emocionais do cérebro direito*. Chamamos essa conexão emocional de "sintonia", que ocorre quando nos conectamos profundamente com outra pessoa e permitimos que ela se "sinta sentida". Quando pai e filho estão sintonizados um com o outro, experimentam uma sensação de união.

A abordagem de Tina com o filho é o que chamamos de método "conectar e redirecionar", que ajuda nossos filhos a se "sentirem sentidos" antes de tentarmos resolver problemas ou tratar da situação de maneira lógica. Eis como funciona.

PASSO 1: CONECTAR COM O DIREITO

Em nossa sociedade, somos treinados a resolver tudo usando palavras e lógica. Contudo, quando o seu filho de 4 anos está absolutamente furioso porque não pode caminhar pelo teto como o Homem-Aranha (como o filho de Tina ficou uma vez), esse provavelmente não é o melhor momento para lhe dar uma aula introdutória sobre as leis da física. Ou quando o filho de 11 anos está magoado porque aparentemente a irmã dele está recebendo tratamento preferencial (como o filho de Dan se sentia de vez em quando), a reação adequada não é apresentar uma tabela demonstrando que você repreende ambos da mesma forma.

Em vez disso, podemos usar essas oportunidades para nos darmos conta de que, nesses momentos, a lógica não é nosso veículo primário para proporcionar sanidade à conversa (parece absurdo, não?). Também é fundamental enfatizar que, não importa o quanto os sentimentos de nossos filhos possam nos parecer sem sentido e frustrantes, são reais e importantes para eles. É vital que os tratemos assim em nossas reações.

Durante a conversa de Tina com o filho, ela apelou para o cérebro direito dele, reconhecendo seus sentimentos. Ela também usou sinais não verbais, como toque físico, expressões faciais compreensivas, um tom de voz carinhoso e escuta imparcial. Em outras palavras, ela utilizou o cérebro direito dela para se conectar e se comunicar com o cérebro direito dele. Essa sintonia direito com direito ajudou a equilibrar o cérebro dele ou deixá-lo em um estado mais integrado. Então, ela pôde começar a apelar para o cérebro esquerdo do filho e lidar com as questões específicas que ele havia levantado. Assim, chega o momento do passo 2, que ajuda a integrar o esquerdo com o direito.

PASSO 2: REDIRECIONAR COM O ESQUERDO

Depois de responder com o direito, Tina pôde, então, redirecionar a situação com o esquerdo. Ela pôde redirecioná-la explicando logicamente o quanto se esforça para ser justa, prometendo deixar um bilhete enquanto ele dormia e traçando com ele uma estratégia para o próximo aniversário e sobre como tornar o dever de casa mais divertido (os dois fizeram um pouco disso naquela noite, mas resolveram a maioria dos problemas no dia seguinte).

Depois que ela havia se conectado com ele cérebro direito com cérebro direito, foi muito mais fácil conectar esquerdo com esquerdo e lidar com os problemas de maneira racional. Ao *conectar-se* primeiro com o cérebro direito dele, ela pôde *redirecionar* o conflito com o cérebro esquerdo, por meio de explicação lógica e planejamento, que exigiam que o hemisfério esquerdo dele entrasse na conversa. Essa abordagem permitiu que ele usasse os dois lados do cérebro de forma integrada e coordenada.

Não estamos dizendo que "conectar e redirecionar" vá funcionar sempre. Afinal, há vezes em que uma criança simplesmente passou do ponto sem volta e as ondas emocionais simplesmente precisam arrebentar até a tempestade passar. Ou a criança talvez precise simplesmente comer ou dormir um pouco. Como Tina, você pode decidir esperar até seu filho estar em um estado de espírito mais integrado para conversar logicamente com ele sobre seus sentimentos e comportamentos.

Também não estamos recomendando permissividade ou ultrapassar limites apenas porque uma criança não está pensando de maneira lógica. Regras sobre respeito e comportamento não são atiradas pela janela só porque o hemisfério esquerdo de uma criança está desligado. Qualquer comportamento inadequado para sua família – ser desrespeitoso, machucar alguém, arremessar objetos –, por exemplo, deve permanecer fora de cogitação mesmo em momentos de muita emoção. Talvez você precise interromper o comportamento destrutivo e afastar seu filho da situação antes de começar a conectar e redirecionar. Contudo, com a abordagem do cérebro por inteiro, compreendemos que normalmente é uma boa ideia discutir mau comportamento e suas consequências *depois* de a criança se acalmar, uma vez que momentos de inundação emocional não são os melhores para se aprender lições. Uma criança pode ser muito mais receptiva quando o cérebro esquerdo estiver funcionando novamente, e a disciplina poderá, assim, ser muito mais eficiente. É como se você fosse um salva-vidas que nada ao encontro da criança, passa os braços ao redor dela e a ajuda a voltar para a margem, *antes* de lhe dizer para não nadar tão longe da próxima vez.

O segredo aqui é que, quando seu filho estiver se afogando em uma inundação emocional do cérebro direito, você fará a si mesmo (e a ele) um grande favor se se conectar antes de redirecionar. Essa abordagem poderá ser um salva-vidas que ajudará a manter a cabeça do seu filho acima d'água e evitará que você seja puxado para baixo com ele.

ESTRATÉGIA 1
EM VEZ DE ORDENAR E EXIGIR...

MAMÃE, VOCÊ NUNCA ME DEIXA UM BILHETE...

O QUE VOCÊ ESTÁ FAZENDO FORA DA CAMA? VOLTE PARA O SEU QUARTO. NÃO QUERO VER VOCÊ ATÉ DE MANHÃ.

TENTE CONECTAR E REDIRECIONAR

> MAMÃE, VOCÊ NUNCA ME DEIXA UM BILHETE NO MEIO DA NOITE E EU ODEIO FAZER DEVER DE CASA!

> TAMBÉM FICO CHATEADA COM COISAS ASSIM. QUER QUE EU DEIXE UM BILHETE PARA VOCÊ ESTA NOITE? TENHO ALGUMAS IDEIAS SOBRE O DEVER DE CASA, MAS AGORA É TARDE. VAMOS CONVERSAR MAIS SOBRE ISSO AMANHÃ.

ESTRATÉGIA DO CÉREBRO POR INTEIRO Nº 2:

NOMEAR PARA DISCIPLINAR: CONTANDO HISTÓRIAS PARA ACALMAR GRANDES EMOÇÕES

Uma criança pequena cai e arranha o cotovelo. Um aluno da pré-escola perde um animal de estimação adorado. Um garoto de 10 anos enfrenta um valentão na escola. Quando uma criança vivencia momentos dolorosos, decepcionantes ou assustadores, isso pode ser avassalador, com intensas emoções e sensações corporais inundando o cérebro direito. Quando isso acontece, nós, como pais, podemos trazer o hemisfério esquerdo para o momento presente, de modo que a criança comece a compreender o que está acontecendo. Uma das melhores maneiras de promover esse tipo de integração é ajudar a recontar experiências assustadoras ou dolorosas.

Bella, por exemplo, tinha 9 anos de idade quando o vaso sanitário transbordou ao dar a descarga. A experiência de ver a água subir e derramar no chão a deixou relutante (e praticamente incapaz) de puxar a descarga depois disso. Quando o pai de Bella, Doug, ficou sabendo da técnica "nomear para disciplinar", ele se sentou com a filha e recontou a história da vez em que a privada transbordou. Ele a deixou contar o máximo de histórias que conseguisse e ajudou-a com detalhes, incluindo o medo persistente que ela sentira de dar descarga desde essa experiência. Depois de contar a história várias vezes, os medos de Bella diminuíram e acabaram desaparecendo.

Por que recontar a história foi tão eficaz? Basicamente, o que Doug fez foi ajudar a filha a reunir o cérebro esquerdo com o direito para compreender o que havia ocorrido.

Quando ela falou sobre o momento em que a água começou a verter no chão e como se sentiu preocupada e com medo, seus dois hemisférios trabalharam juntos de forma integrada. Ela envolveu o cérebro esquerdo, ordenando os detalhes e traduzindo a experiência em palavras, tendo, então, usado o cérebro direito ao revisitar as emoções que sentiu. Assim, Doug ajudou a filha a *nomear* seus medos e emoções para domá-los.

Pode haver ocasiões em que nossos filhos não desejarão contar a história quando lhes pedirmos que o façam. Precisamos respeitar seus desejos sobre como e quando falar, especialmente porque pressioná-los apenas surtirá o efeito contrário (pense nas vezes em que você preferiu ficar só e não teve vontade de conversar – alguém que o tenha estimulado a conversar o fez falar e dividir o que estava sentindo?). Em vez disso, podemos encorajá-los com tranquilidade, começando a contar a história e pedindo que eles deem detalhes e, se não estiverem interessados, podemos lhes dar uma folga e esperar que falem mais tarde.

Seus filhos terão mais chances de responder se você usar tal estratégia ao iniciar esse tipo de conversa. Certifique-se de que o estado de espírito de vocês esteja bom. Pais experientes e terapeutas infantis também lhe dirão que algumas das melhores conversas que tiveram com crianças ocorreram com outro fato acontecendo ao mesmo tempo. Crianças falam e compartilham mais quando estão construindo alguma coisa, jogando cartas ou andando de carro do que quando nos sentamos, olhamos diretamente para elas e pedimo-lhes que se abram. Outra abordagem que você pode usar se seus filhos não quiserem falar é pedir que façam um desenho do acontecimento ou, se tiverem idade suficiente, escrevam sobre ele. Se perceber que relutam em conversar com você, estimule-os a falar com outra pessoa – um amigo, outro adulto ou mesmo um irmão que seja um bom ouvinte.

Pais sabem o quanto contar histórias pode ser importante quando se trata de distrair ou acalmar os filhos, mas a maioria das pessoas não se dá conta dessa força poderosa. O lado direito do cérebro processa as emoções e as memórias autobiográficas, mas é o lado esquerdo que dá sentido a essas sensações e recordações. A cura de uma experiência difícil ocorre quando o lado esquerdo trabalha com o direito para contar nossas histórias de vida. Quando aprendem a prestar atenção e a contar as próprias histórias, as crianças conseguem reagir de maneira saudável a tudo, de um cotovelo arranhado a uma perda ou trauma importante.

Frequentemente, quando vivenciam emoções fortes, as crianças precisam ter alguém que as ajude a usar o cérebro esquerdo para dar sentido ao que está acontecendo – colocar as coisas em ordem e nomear esses grandes e assustadores sentimentos do cérebro direito para lidar efetivamente com eles. É isto que contar histórias faz: permite que compreendamos nós mesmos e nosso mundo, usando os hemisférios esquerdo e direito juntos. Para contar uma história que faça sentido, o cérebro esquerdo deve pôr as coisas em ordem, usando palavras e lógica. O cérebro direito contribui com as sensações corporais, as emoções puras e as lembranças pessoais, para que possamos ver o todo e comunicar nossa experiência. Essa é a explicação científica que informa por que escrever diários e falar sobre um acontecimento difícil pode ser tão poderoso no caminho da cura. De fato, uma pesquisa demonstrou que dar um nome ou rotular o que sentimos literalmente acalma a atividade dos circuitos emocionais no hemisfério direito.

Pelo mesmo motivo, é importante que crianças de todas as idades contem suas histórias, uma vez que isso as ajuda a tentar compreender suas emoções e os eventos que acontecem em suas vidas. Às vezes, pais evitam falar sobre experiências perturbadoras, achando que ao fazerem isso reforçarão o sofrimento dos filhos ou piorarão a situação. Na verdade, contar a história é frequentemente o que as crianças precisam fazer, tanto para encontrar o sentido do evento quanto para prosseguir para um lugar onde consigam se sentir melhores a respeito do que lhes aconteceu (lembra-se do filho de Marianna, Marco, da história da "Ia uó uó" no capítulo 1?). A motivação para compreendermos por que as coisas acontecem conosco é tão forte que o cérebro continuará tentando encontrar o sentido de qualquer experiência até conseguir. Como pais, podemos ajudar nesse processo contando histórias.

Foi o que Thomas fez com Katie, a aluna da pré-escola que ficava gritando que ia morrer quando o pai a deixasse na escola. Embora se sentisse frustrado com a situação, ele resistiu ao impulso de desprezar e negar as experiências de Katie. Com o que havia aprendido, ele reconheceu que o cérebro da filha estava reunindo vários eventos: ser deixada na escola, ficar doente, o pai ir embora e sentir medo. Como resultado disso, quando chegava a hora de arrumar as coisas e ir para a escola, o cérebro e o corpo dela começavam a lhe dizer: "Má ideia: escola = ficar doente = papai ir embora = medo". A partir dessa perspectiva, fazia sentido que ela não quisesse ir para a escola.

Ao se dar conta disso, Thomas usou seu conhecimento sobre os dois hemisférios do cérebro. Ele sabia que crianças pequenas como Katie são tipicamente dominadas pelo hemisfério direito e ainda não desenvolveram a capacidade de usar a lógica e palavras para expressar sentimentos. Katie sentia as emoções intensas, mas não conseguia compreendê-las nem as comunicar claramente. Como resultado disso, oprimiam-na. Ele também sabia que lembranças autobiográficas ficam armazenadas no lado direito do cérebro e compreendia que os detalhes de ela ter ficado doente haviam ficado ligados em sua memória e fizeram o hemisfério direito entrar em marcha acelerada.

Depois que Thomas compreendeu tudo isso, soube que precisava ajudar Katie a encontrar sentido naquelas emoções usando o hemisfério esquerdo – utilizando lógica, colocando os eventos em ordem e designando palavras a seus sentimentos. A forma como fez isso ajudou-a a contar uma história sobre o que havia acontecido naquele dia para que ela pudesse usar os dois lados do cérebro juntos. Ele lhe disse:

– Sei que está tendo dificuldade em ir à escola desde que ficou doente. Vamos tentar nos lembrar do dia em que você passou mal na escola. Primeiro, nós nos arrumamos para ir para a escola, não foi? Lembra que você quis vestir sua calça vermelha, nós comemos waffles com mirtilos e depois você escovou os dentes? Nós chegamos à escola, demos um abraço e nos despedimos.

Você começou a desenhar na mesa de atividades e eu acenei para você. Então, o que aconteceu depois de eu ir embora?

Katie respondeu que se sentiu mal. Thomas continuou:

– Sim. Sei que isso não foi legal, né? Mas daí a professora cuidou muito bem de você e soube que você precisava do papai. Então, ela me ligou e eu fui para lá imediatamente. Não foi muita sorte ter uma professora que cuidou de você até o papai chegar? Daí o que aconteceu? Eu cuidei de você e você se sentiu melhor – Thomas, então, enfatizou que foi para a escola imediatamente, tudo ficou bem e garantiu a Katie que sempre estaria lá quando ela precisasse dele.

Ao colocar esses detalhes narrativos em ordem dessa maneira, Thomas permitiu que a filha começasse a entender o que estava sentindo em relação a suas emoções e seu corpo. Ele conseguiu ajudá-la a criar algumas novas associações de que a escola é segura e divertida, fazendo-a se lembrar de várias coisas que adorava na escola. Juntos, escreveram e ilustraram um livro que contava essa história, mostrando-a em seus lugares preferidos na sala de aula. Como as crianças costumam fazer, Katie quis ler o livro feito em casa sem parar.

Não demorou muito para ela recuperar o amor que sentia pela escola e essa experiência não exerceu mais um grande impacto nela. Na verdade, aprendeu que poderia superar o medo com o apoio das pessoas que a amam. Enquanto Katie estiver crescendo, seu pai continuará ajudando-a a encontrar sentido em suas experiências. Esse processo de contar histórias será uma forma natural de ela lidar com situações difíceis, fornecendo-lhe uma ferramenta poderosa para enfrentar as adversidades até a fase adulta e durante toda a vida.

Até mesmo crianças mais novas do que Katie – com 10 a 12 meses de idade – reagem bem ao ouvirem o relato do que se passou com elas. Imagine, por exemplo, uma criança pequena que tenha levado um tombo e arranhado o joelho.

O cérebro direito, que está completamente no momento presente e conectado com o corpo e o medo dela, sente dor. Em algum nível, ela se preocupa com o fato de a dor nunca ir embora. Quando a mãe conta a história da queda, designando palavras e ordenando a experiência, ajuda a filha a envolver e desenvolver o cérebro esquerdo, explicando o que aconteceu – ela simplesmente caiu – para que ela possa compreender por que está sentindo dor.

Não subestime o poder de uma história para atrair a atenção de uma criança. Experimente agir assim se tiver um filho pequeno – você ficará impressionado com o quanto isso pode ser útil e o quanto ele ficará ávido por ajudar a contar histórias futuras quando se machucar ou sentir medo.

O método "nomear para disciplinar" é igualmente poderoso com crianças mais velhas. Uma mãe que conhecemos, Laura, usou essa técnica com o filho, Jack, que sofrera um pequeno (mas ainda assim assustador) acidente de bicicleta quando tinha 10 anos e ficava nervoso toda vez que pensava em pedalar. Eis como ela o ajudou a contar a história para ele compreender o que ocorria dentro de si.

Laura	Você se lembra do que aconteceu quando caiu?
Jack	Estava olhando para você ao atravessarmos a rua. Não vi a grade do esgoto.
Laura	E o que aconteceu depois?
Jack	Minha roda ficou presa na grade e a bicicleta caiu em cima de mim.
Laura	Isso foi horripilante, não foi?
Jack	Foi. Não sabia o que fazer. Só segui pela rua, sem conseguir ver o que estava acontecendo.
Laura	Deve ter sido assustador algo assim acontecer do nada. Você lembra o que houve depois?

CAPÍTULO 2

ESTRATÉGIA 2
EM VEZ DE DESPREZAR E NEGAR...

> Caí e machuquei o joelho!

> Não chore. Está tudo bem! Não fique triste. Você está bem. Só tome mais cuidado!

TENTE NOMEAR PARA DISCIPLINAR

> Caí e machuquei o joelho!

> Deve estar doendo. Vi você correr, tropeçar e arranhar o joelho. Depois, o que aconteceu?

> A mamãe veio.

> Isso mesmo. Abracei você e fiz carinho. Você está se sentindo melhor?

> Sim.

> Quer que eu mostre como aconteceu?

> Quero.

Laura continuou ajudando Jack a contar toda a experiência. Juntos, ambos conversaram sobre como, no fim, tudo se resolveu depois de algumas lágrimas, carinho, curativos e o conserto da bicicleta. Então, falaram sobre tomar cuidado com grades de esgoto e prestar atenção no trânsito, o que ajudou Jack a se libertar da sensação de impotência.

Os detalhes de uma conversa dessas obviamente mudarão de acordo com a situação. Mas note como Laura obteve o relato do filho, deixando-o assumir um papel ativo no processo de contá-lo. Basicamente, ela agiu como facilitadora, estabelecendo os fatos do acontecimento. É assim que histórias nos capacitam a seguir em frente e administrar os momentos em que nos sentimos fora de controle. Quando conseguimos atribuir palavras a nossas experiências assustadoras e dolorosas – quando *fazemos as pazes com elas* –, frequentemente se tornam muito menos assustadoras e dolorosas. Quando ajudamos nossos filhos a nomearem suas dores e seus medos, nós os ajudamos a discipliná-los.

Crianças com cérebro por inteiro: ensine a seus filhos os dois lados do cérebro

Neste capítulo, demos a você vários exemplos de como ajudar seus filhos a integrarem o cérebro esquerdo com o cérebro direito. Também poderá ser útil conversar com eles e explicar alguns princípios básicos sobre as informações de que acabamos de tratar. Para ajudar você, veja algo que poderá ler com eles. Escrevemos o texto pensando em crianças com idades entre 5 e 9 anos, mas você deve se apropriar dele e adaptá-lo para a idade e o estágio de desenvolvimento de seus filhos.

CAPÍTULO 2

CRIANÇAS COM CÉREBRO POR INTEIRO: INSTRUA SEUS FILHOS A TORNAREM EXPLÍCITAS AS MEMÓRIAS IMPLÍCITAS

SEU CÉREBRO ESQUERDO E SEU CÉREBRO DIREITO

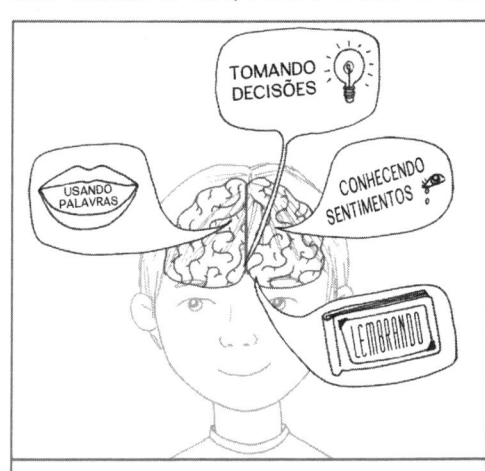

SABIA QUE O CÉREBRO TEM MUITAS PARTES E TODAS FAZEM COISAS DIFERENTES? É QUASE COMO SE VOCÊ TIVESSE CÉREBROS DIFERENTES COM SUAS PRÓPRIAS MENTES. CONTUDO, PODEMOS AJUDAR TODAS A SE DAREM BEM E TRABALHAREM UMAS COM AS OUTRAS.

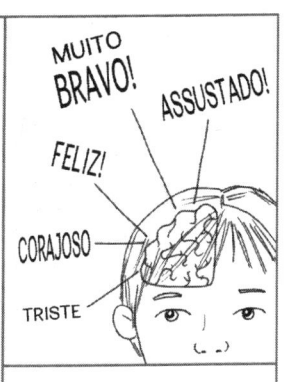

NOSSO CÉREBRO DIREITO ESCUTA O CORPO E SABE DE NOSSOS SENTIMENTOS, COMO QUANDO NOS SENTIMOS FELIZES, CORAJOSOS, MEDROSOS, TRISTES OU MUITO BRAVOS. É IMPORTANTE PRESTAR ATENÇÃO A ESSES SENTIMENTOS E FALAR SOBRE ELES.

ÀS VEZES, QUANDO FICAMOS CHATEADOS E NÃO QUEREMOS FALAR SOBRE ISSO, NOSSOS SENTIMENTOS PODEM SE ACUMULAR DENTRO DE NÓS, COMO UMA GRANDE ONDA QUE NOS INUNDA E NOS FAZ DIZER OU FAZER COISAS QUE NÃO QUEREMOS.

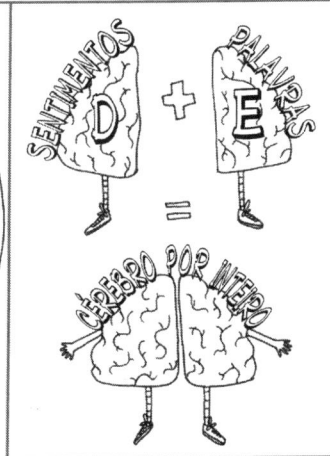

CONTUDO, O CÉREBRO ESQUERDO PODE AJUDAR A EXPRESSAR NOSSOS SENTIMENTOS EM PALAVRAS. ENTÃO, NOSSO CÉREBRO POR INTEIRO PODE TRABALHAR EM CONJUNTO, COMO UM TIME, E CONSEGUIMOS NOS ACALMAR.

POR EXEMPLO:

> ESTOU MUITO BRAVA! ELA É MINHA MELHOR AMIGA E, AGORA, LIZZIE SERÁ A MELHOR AMIGA DELA.

ANNIE ADOECEU E PRECISOU FALTAR AO ANIVERSÁRIO DA AMIGA. ELA FICOU TÃO BRAVA POR TER FICADO EM CASA QUE UMA IMENSA ONDA DE RAIVA CRESCEU E CRESCEU E ESTAVA PRESTES A RECAIR NELA.

O PAI DE ANNIE AJUDOU-A A FALAR SOBRE O QUE ESTAVA SENTINDO.

QUANDO ELA USOU PALAVRAS PARA EXPRESSAR O QUE ESTAVA SENTINDO, O CÉREBRO ESQUERDO A AJUDOU A SUPFAR NA GRANDE ONDA DE RAIVA DO CÉREBRO DIREITO E ELA DESLIZOU ATÉ A PRAIA, TRANQUILA E FELIZ.

Integrando a nós mesmos: conectando nossos cérebros esquerdo e direito

Agora que sabe mais sobre os lados esquerdo e direito do cérebro, pense na sua própria integração. Quando se trata de criar filhos, você tem o cérebro direito dominante? Costuma sucumbir a avalanches emocionais, deixando seus filhos submersos no próprio caos e medo? Ou talvez sua tendência seja viver um deserto emocional de cérebro esquerdo, sendo rígido em suas reações e tendo dificuldade de ler e reagir às emoções e necessidades deles?

Aqui seguem as palavras de uma mãe que se deu conta de que interagia, principalmente com o filho pequeno, usando apenas um lado do cérebro:

> Fui criada em uma família militar. É desnecessário dizer que não sou meiga! Sou veterinária e fui treinada para resolver problemas, o que não me tornou uma pessoa muito empática.
>
> Quando meu filho chorava ou ficava chateado, tentava fazê-lo se acalmar para ajudá-lo a resolver o problema. Isso não o auxiliava e, às vezes, aumentava o choro. Então, afastava-me e esperava até ele se acalmar.
>
> Recentemente, aprendi a tentar primeiro me conectar emocionalmente – cérebro direito com cérebro direito, algo totalmente estranho para mim. Agora, abraço meu filho, escuto e até tento ajudá-lo a contar sua história, usando tanto o cérebro esquerdo quanto o direito juntos. Então, conversamos sobre o comportamento ou resolvemos o problema. Tento me lembrar de me conectar primeiro e, depois, resolver a situação.
>
> Precisei de um pouco de prática, mas, ao me relacionar emocionalmente com meu filho antes, usando o cérebro direito com o esquerdo, em vez de utilizar apenas o esquerdo, todo o restante ocorria mais tranquilamente e nosso relacionamento também melhorou.

Essa mãe se deu conta de que, ao ignorar partes do próprio cérebro direito, estava perdendo oportunidades importantes de se conectar com o filho e aprimorar o desenvolvimento do cérebro direito dele.

Uma das melhores maneiras de promover integração em nossos filhos é nós mesmos nos tornarmos mais bem integrados (discutiremos melhor esse assunto no capítulo 6, quando tratarmos dos neurônios-espelho). Quando os cérebros direito e esquerdo estão integrados, podemos analisar a criação de filhos tanto de um lugar *pé no chão* do cérebro esquerdo – que nos permite tomar decisões importantes, resolver problemas e impor limites – quanto de um lugar do cérebro direito, emocionalmente conectado, onde temos consciência dos sentimentos e sensações de nosso corpo e nossas emoções, para atender de maneira amorosa às necessidades de nossos filhos. Assim, estaremos criando filhos com *nossos* cérebros por inteiro.

3:

CONSTRUINDO A ESCADARIA DA MENTE

INTEGRANDO OS ANDARES DE CIMA E DE BAIXO DO CÉREBRO

Certa tarde, Jill ouviu berros e certo tumulto no quarto do filho de 6 anos, Grant. Gracie, de 4 anos, encontrou a caixa de tesouro do irmão e tirou de lá o "cristal mais raro", que acabou perdendo. Jill chegou bem a tempo de ouvir Gracie dizer, com a voz mais maldosa do mundo:

– É só uma pedra boba. Que *bom* que a perdi!

Jill olhou para o filho, com os punhos cerrados e o rosto enrubescido. Provavelmente, você já viveu um momento assim, em que determinada situação com seu filho está por um triz e prestes a ficar feia. As coisas ainda podiam ter salvação e penderem para uma solução boa e pacífica. Ou poderiam entornar na direção oposta, degenerando para o caos, a anarquia e até mesmo a violência.

E tudo depende de seu queridinho controlar um impulso. Acalmar sentimentos fortes. Tomar uma boa decisão.

Nossa!

Nesse caso, imediatamente Jill percebeu os sinais do que estava por vir: Grant estava perdendo o controle e *não* ia tomar uma boa decisão. Ela viu a fúria nos olhos dele e ouviu o princípio de um grunhido gutural emergindo da garganta dele. Ela o acompanhou, passo a passo, enquanto ele percorria os poucos metros que o separavam da irmã. Felizmente, Jill foi mais rápida e interceptou Grant antes de ele alcançar Gracie. Ela o pegou no colo e segurou-o perto do corpo, enquanto seus socos e pontapés atingiam o ar, com Grant gritando o tempo todo. Quando ele finalmente parou de brigar, Jill o pôs no chão. Com lágrimas, ele olhou para a irmã, que, na verdade, adorava-o e idolatrava-o, e disse calmamente a seguinte frase:

– Você é a pior irmã do mundo.

Quando contou essa história a Dan, Jill explicou que esse último torpedo verbal deixou sua marca e produziu as dramáticas lágrimas em Gracie que Grant pretendia provocar. Ainda assim, Jill ficou satisfeita por ter estado lá, pois seu filho provavelmente teria provocado dor física, e não apenas emocional. A pergunta que ela fez a Dan é uma que os pais nos fazem com frequência: "Não posso estar com meus filhos todos os instantes do dia. Como lhes ensino a fazer a coisa certa e a se controlarem quando eu não estiver por perto?".

Uma das habilidades mais importantes que podemos ensinar a nossos filhos é tomar boas decisões em situações de grande emoção como a que Grant enfrentou nesse exemplo. Queremos que eles façam uma pausa antes de agir, que pensem nas consequências, considerem os sentimentos dos outros e façam julgamentos éticos e morais. Às vezes, eles se comportam de modo a nos deixar orgulhosos. Outras vezes, não.

O que faz nossos filhos escolherem seus atos com tanta sabedoria em determinados momentos e tão mal em outros? Por que determinadas situações nos fazem cumprimentar nossos filhos e outras nos fazem estender as mãos para o alto? Bem, eis alguns ótimos motivos baseados no que está acontecendo nas partes mais alta e mais baixa do cérebro de uma criança.

ESCADARIA MENTAL: INTEGRANDO OS ANDARES DE CIMA E DE BAIXO DO CÉREBRO

Podemos falar sobre o cérebro de diversas maneiras. No capítulo 2, enfocamos seus dois hemisférios, o esquerdo e o direito. Agora, queremos vê-lo de cima para baixo ou, na verdade, de baixo para cima.

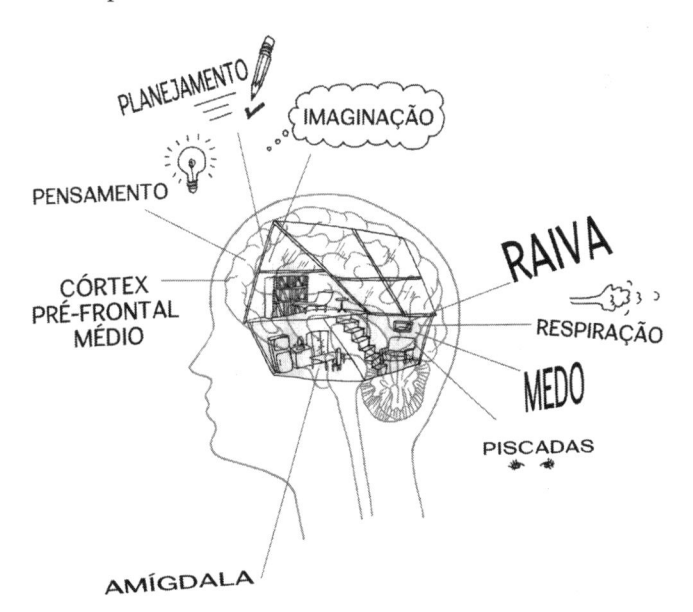

Imagine que seu cérebro é uma casa, com um andar de baixo e um de cima. O cérebro do andar de baixo inclui o tronco cerebral e a região límbica, situadas nas partes mais baixas do cérebro, da parte de cima do pescoço até mais ou menos a ponte do nariz. Os cientistas dizem que essas partes mais baixas são mais primitivas porque são responsáveis por funções básicas (como respirar e piscar), por reações inatas e impulsos (como lutar e fugir) e por fortes emoções (como sentir raiva e medo). Sempre que você se encolhe instintivamente porque a bola de uma partida infantil sai voando em direção à arquibancada, o cérebro do andar de baixo está fazendo seu trabalho. Isso também vale quando você fica com o rosto enrubescido de fúria porque, depois de vinte minutos tentando convencer seu filho em idade pré-escolar de que o consultório do dentista não é assustador, a assistente entra na sala e anuncia na frente dele:

– Teremos de dar uma injeção para anestesiá-lo.

A sua raiva – com outras emoções fortes, funções corporais e instintos – brota do cérebro do andar de baixo, que é semelhante ao primeiro andar de uma casa, em que muitas das necessidades de uma família são atendidas. É onde normalmente encontramos a cozinha, a sala de jantar, o banheiro e assim por diante. Necessidades básicas são atendidas no andar de baixo.

O seu cérebro do andar de cima é completamente diferente. Ele é feito do córtex cerebral e de suas diversas partes – especialmente aquelas diretamente atrás da testa, incluindo o que é chamado de córtex pré-frontal médio. Diferentemente do cérebro do andar de baixo, mais básico, o cérebro do andar de cima é mais evoluído e pode dar-lhe uma perspectiva mais completa do mundo. Você pode imaginá-lo como um gabinete iluminado no segundo andar de uma biblioteca repleta de janelas e claraboias que lhe permitem ver tudo com mais clareza. É onde ocorrem os processos mentais mais intricados, como pensar, imaginar e planejar. Enquanto o cérebro do andar de baixo é primitivo, o do andar de cima é altamente sofisticado, controlando parte de seus importantes pensamentos analíticos e mais complexos. Por causa de sua sofisticação e complexidade, é responsável por produzir muitas das características que esperamos ver em nossos filhos:

» TOMADA DE DECISÃO E PLANEJAMENTO DE QUALIDADE

» CONTROLE SOBRE AS EMOÇÕES E O CORPO

» AUTOCOMPREENSÃO

» EMPATIA

» MORALIDADE

Uma criança cujo cérebro do andar de cima funciona adequadamente demonstrará algumas das características mais importantes de um ser humano maduro e saudável. Não estamos dizendo que será sobre-humana ou jamais apresentará comportamento infantil. Mas quando o cérebro do andar de cima de uma criança está funcionando bem, ela consegue controlar as próprias emoções, pensar nas consequências, refletir antes de agir e levar em consideração como os outros se sentem – tudo o que a ajudará a prosperar em diferentes áreas da vida, assim como auxiliará sua família a sobreviver às dificuldades do dia a dia.

Como seria de esperar, o cérebro de uma pessoa funciona melhor quando o andar de cima e o de baixo estão integrados um com o outro. Assim, o objetivo de um pai deve ser ajudar a construir e reforçar a escadaria metafórica que conecta os cérebros superior e inferior, para que ambos consigam trabalhar em equipe. Quando há uma escadaria em pleno funcionamento, as partes superior e inferior do cérebro são *integradas verticalmente*. Isso significa que o andar de cima consegue monitorar as ações do andar de baixo e acalmar as reações intensas, os impulsos e as emoções que se originam ali. Mas a integração vertical também funciona na outra direção, com o cérebro do andar de baixo e o corpo (a estrutura da casa) fazendo importantes contribuições "de baixo para cima". Afinal, não queremos importantes decisões do andar de cima sendo tomadas em uma espécie de vácuo sem a contribuição de nossas emoções, nossos instintos e nosso corpo. Em vez disso, precisamos considerar nossos sentimentos emocionais e físicos – que têm origem no andar de baixo – antes de usar o andar de cima para decidirmos a respeito de um plano de ação. Mais uma vez, portanto, a integração permite um fluxo livre entre as partes inferior e superior do nosso cérebro. Auxilia a construir a escadaria para todas as diferentes partes de nosso cérebro serem coordenadas e funcionarem juntas como um todo.

O ANDAR DE CIMA INACABADO: ESTABELECENDO EXPECTATIVAS ADEQUADAS A SEUS FILHOS

Embora desejemos construir essa escadaria metafórica no cérebro de nossos filhos, há dois motivos importantes para manter expectativas realistas quando se trata de integração. O primeiro é o desenvolvimento: enquanto o cérebro do andar de baixo já está bem desenvolvido no nascimento, o cérebro do andar de cima só estará totalmente maduro aos vinte e poucos anos. Na verdade, é uma das últimas partes a se desenvolver. O cérebro do andar de cima continua em plena construção ao longo dos primeiros anos de vida. Depois, durante a adolescência, passa por uma ampla reforma que dura até a vida adulta.

Imagine o andar de baixo de uma casa pronta e totalmente mobiliada. Quando você olha o segundo andar, percebe que ela está inacabada e repleta de ferramentas de construção. É possível ver até faixas do céu em pontos em que o telhado ainda não foi finalizado. Esse é o andar de cima do cérebro do seu filho – um trabalho em andamento.

Essa é uma informação fundamental que todos os pais devem saber: todas as habilidades da lista anterior – comportamentos e competências que queremos e esperamos que nossos filhos demonstrem, como tomar decisões apropriadas, controlar as emoções e o corpo, a empatia, a autocompreensão e a moralidade – dependem de uma parte do cérebro que ainda não se desenvolveu completamente. Como o cérebro do andar de cima ainda está sendo construído, não é capaz de funcionar completamente o tempo todo, o que significa que não consegue integrar-se com o cérebro do andar de baixo e funcionar da melhor maneira possível de modo consistente. Como resultado disso, as crianças têm a tendência de ficar "presas no andar de baixo", sem usar o cérebro do andar de cima, o que as faz perderem o controle, tomarem decisões ruins e demonstrarem total falta de empatia e autocompreensão.

Então, esse é o primeiro motivo pelo qual as crianças não costumam ser muito boas em usar as partes superior e inferior do cérebro juntas: seu cérebro do andar de cima ainda está se desenvolvendo. Outro motivo principal tem a ver com uma parte específica do cérebro do andar de baixo: a amígdala.

O PORTÃO DO BEBÊ DA MENTE: MINHA AMÍGDALA ME FEZ FAZER ISSO

Nossa amígdala tem aproximadamente o tamanho e o formato de uma amêndoa e faz parte da região límbica, situada no cérebro do andar de baixo. Sua função é processar e expressar emoções rapidamente, em especial raiva e medo. Essa pequena massa de matéria cinzenta é o cão de guarda do cérebro, mantendo-se sempre alerta a momentos em que possamos nos sentir ameaçados. Ao perceber perigo, pode assumir completamente, ou sequestrar, o cérebro do andar de cima. É o que nos permite *agir* antes de *pensar*. É a parte do cérebro que instrui nosso braço a se esticar para proteger o passageiro quando estamos dirigindo e precisamos frear de repente. É a parte do cérebro que nos encoraja a gritar: "Pare!", situação que ocorreu quando Dan estava fazendo uma caminhada com o filho pequeno antes mesmo de ter consciência de que havia uma cascavel poucos metros à frente na trilha.

É claro que definitivamente há vezes em que é bom agir antes de pensar. Nessa situação, a última coisa de que Dan precisava era o cérebro do andar de cima realizar uma série de manobras de ordem mais alta ou alguma espécie de análise de custo-benefício: "Ah, não! Tem uma cobra na frente do meu filho. Agora seria um bom momento para avisá-lo. Gostaria de tê-lo alertado uns dois segundos atrás, em vez de passar por essa série de cogitações que me levou à decisão de alertá-lo". Em vez disso, ele precisava que seu cérebro do andar de baixo – nesse caso, sua amígdala – assumisse e fizesse exatamente o que fez: estimulasse-o a gritar antes que pudesse conscientemente se dar conta do que estava fazendo.

Claramente, agir antes de pensar é bom quando estamos em uma situação como a de Dan ou estamos correndo perigo de uma ou outra maneira. Mas agir ou reagir antes de pensar *não* costuma ser tão bom em situações normais do cotidiano, como quando saímos furiosamente do carro, gritando com outro pai por ele não ter seguido a regra de não parar na fila de carros na frente da escola. Como explicaremos na seção "Crianças com cérebro por inteiro", isso é o que chamamos de "tirar a tampa", um modo de a amígdala nos envolver em problemas: ela assume o controle e libera o cérebro do andar de cima de seus deveres. Quando não estamos verdadeiramente em perigo, queremos pensar antes de agir, em vez do contrário.

Queremos que nossos filhos façam o mesmo. O problema, porém, é que, especialmente em crianças, a amígdala é acionada e bloqueia a escadaria que liga o cérebro do andar de cima com o do andar de baixo. É como se um portão de bebês tivesse sido instalado na parte de baixo da escada, tornando o cérebro do andar de cima inacessível. É claro que tal fato intensifica o outro problema que acabamos de discutir: não apenas o cérebro do andar de cima está em construção, mas mesmo a parte dele que *funciona* se torna inacessível durante momentos de grande emoção ou estresse.

Quando o seu filho de 3 anos de idade tem um acesso de raiva porque não há mais picolés laranja no freezer, o cérebro do andar de baixo dele, incluindo o tronco cerebral e a amígdala, entrou em ação e trancou o portão de bebê. Essa parte primitiva do cérebro dele recebeu um intenso fluxo de energia, tornando-o literalmente incapaz de agir calma e racionalmente. Imensos recursos cerebrais se direcionaram para o cérebro do andar de baixo, deixando pouca força para o cérebro do andar de cima. Como resultado, não importa quantas vezes você lhe diga que há um monte de picolés roxos (de que ele gostava mais do que dos laranja da última vez), pois provavelmente não ouvirá nenhuma racionalização no momento. É muito mais provável que ele atire algo ou grite com alguém que esteja por perto.

Como você sabe, se já passou por essa situação, a melhor maneira de tirá-lo da crise (e, na cabeça dele, é realmente uma crise) é tranquilizá-lo e ajudá-lo a desviar a atenção para outra coisa. Você pode pegá-lo no colo e mostrar-lhe um objeto interessante em outro ambiente, ou pode fazer algo bobo e sem sentido para mudar a dinâmica da situação. Quando faz isso, você o ajuda a abrir o portão, para que a escadaria da integração possa mais uma vez se tornar acessível e ele possa envolver o cérebro do andar de cima e começar a se acalmar.

Tal tática também é válida para quando o problema não é raiva, mas medo. Pense em uma criança de 7 anos ativa e atlética que se recusa a aprender a andar de bicicleta. A amígdala produz um medo tão paralisante que ela sequer experimenta uma atividade em que é mais do que capaz de realizar com êxito. A amígdala dela não apenas instalou um portão de bebê na parte de baixo da escada, mas também encheu os degraus com o equivalente a bolas, patins, livros e sapatos – todos os tipos de obstáculos que vêm de experiências passadas assustadoras e tornam impossível que ela alcance as partes superiores do cérebro. Nessa situação, mais uma vez há diferentes estratégias possíveis para limpar o caminho. Seus pais podem tentar convencê-la da recompensa que receberá ao assumir um novo desafio, reconhecer e discutir os desafios atuais e oferecer um incentivo para ela vencer o medo. Diversos tipos de abordagens podem funcionar para ajudá-la a limpar a conexão com seu cérebro do andar de cima e acalmar sua amígdala, que está berrando a mensagem de que ela pode cair e se machucar.

Na prática, pense o que significa quando criamos filhos que não têm acesso constante ao cérebro do andar de cima. É irreal pensar que eles são sempre racionais, controlam as emoções, tomam boas decisões, pensam antes de agir e são empáticos – tudo o que um cérebro do andar de cima desenvolvido ajuda-os a fazer. Eles podem demonstrar algumas dessas qualidades em diferentes graus na maior parte do tempo, dependendo da idade. Contudo, na maioria dos casos, simplesmente não têm o conjunto de habilidades biológicas para fazer isso *o tempo todo*. Às vezes, conseguem usar o cérebro do andar de cima, e, às vezes, não. Saber disso e ajustar nossas expectativas pode nos ajudar a ver que nossos filhos estão frequentemente fazendo o melhor possível com o cérebro que têm.

Então, isso lhes dá um passe livre para fora da cadeia ("Desculpe, mamãe, por ter espirrado o limpador de vidros no rosto do novo cachorrinho. Acho que meu cérebro do andar de cima não estava ativado")? Dificilmente. Na verdade, como pais, isso nos encoraja ainda mais a incentivar que nossos filhos desenvolvam capacidades que resultem em comportamentos *adequados*, oferecendo-nos uma estratégia bem eficiente para tomar algumas decisões arriscadas, especialmente quando estamos em meio a uma situação acalorada – como um ataque de birra.

ATAQUES DE BIRRA: ANDAR DE CIMA E ANDAR DE BAIXO

O temido ataque de birra pode ser um dos momentos mais desagradáveis na criação dos filhos. Quer ocorra em ambiente privado, quer em público, pode, num piscar de olhos, transformar a pessoa que é dona de nosso coração e move montanhas com um único sorriso lindo no ser mais feio e repulsivo do planeta.

Nós, pais, aprendemos que há apenas uma boa forma de responder a um ataque de birra: ignorá-lo. De outro modo, comunicamos a nossos filhos que eles têm uma arma poderosa para usar contra nós, e eles sempre a usarão.

Mas o que esse novo conhecimento sobre o cérebro diz sobre os ataques de birra? Quando conhecemos mais o cérebro do andar de cima e o do andar de baixo, percebemos que, na realidade, há dois tipos diferentes de ataques de birra. Um *ataque de birra do andar de cima* ocorre quando a criança *decide* ter um chilique. Ela faz uma escolha consciente ao agir, apertando determinados botões e aterrorizando você até conseguir o que quer. Apesar de seus apelos dramáticos e aparentemente sinceros, ela poderia interromper imediatamente o ataque de birra se quisesse – por exemplo, se você ceder às exigências dela ou lembrá-la de que está prestes a perder um privilégio importante. O motivo pelo qual consegue parar é que nesse momento está usando o cérebro do andar de cima. Ela é *capaz* de controlar as emoções e o corpo, de ser lógica e tomar boas decisões. Pode parecer estar totalmente fora de controle enquanto grita, no meio do shopping: "Eu quero os chinelos da princesa *agora*!". Mas você sabe o que ela está fazendo e, definitivamente, ela trabalha com estratégia e o manipula para atingir um fim desejado: que você deixe tudo de lado e compre os chinelos imediatamente.

Um pai que reconhece um ataque de birra do andar de cima só tem uma reação clara: jamais negociar com um terrorista. Um ataque de birra do andar de cima exige limites e uma discussão clara sobre comportamentos adequados e inadequados. Nessa situação, uma boa reação seria explicar calmamente: "Compreendo que está empolgada com os chinelos, mas não estou gostando da forma como está agindo. Se não parar agora, não ganhará os chinelos e precisarei cancelar o encontro com suas amiguinhas esta tarde, porque está me mostrando que não é capaz de se controlar direito". Então, é importante ir até o fim e arcar com as consequências, se o comportamento não parar. Ao oferecer esse tipo de limite firme, você mostra à sua filha as consequências de atitudes inadequadas e a controlar os impulsos. Você está ensinando a ela que comunicação respeitosa, paciência e gratificação adiada compensam – e comportamentos contrários, não. Lições importantes para um cérebro em desenvolvimento.

Se você se recusar a ceder aos ataques de birra do andar de cima – independentemente da idade de seu filho –, parará de vê-los regularmente. Como os ataques de birra do andar de cima são intencionais, as crianças não adotarão essa estratégia ao perceberem que é ineficaz – frequentemente leva a resultados negativos.

Um *ataque de birra do andar de baixo* é completamente diferente. Nesse caso, a criança fica tão perturbada que *não consegue mais usar* o cérebro do andar de cima. Seu filho pequeno sente tanta raiva de você ter jogado água na cabeça dele para lavar os cabelos que começa a berrar, atirar os brinquedos para fora da banheira e a agitar loucamente os punhos, tentando acertá-lo. Nesse caso, as partes inferiores do cérebro dele – em especial, a amígdala – assumem o controle e sequestram o cérebro do andar de cima. Ele não está nem perto de um estado de integração. Na verdade, ao inundarem seu pequeno cérebro, os hormônios de estresse significam que, virtualmente, nenhuma parte do cérebro superior dele está funcionando completamente. Como resultado disso, é literalmente incapaz – momentaneamente, ao menos – de controlar o corpo ou as emoções e de usar todas as habilidades de pensamento de alta ordem, como pensar em consequências, resolver problemas ou considerar os sentimentos dos outros. Ele tirou a tampa. O portão de bebê está bloqueando o acesso ao andar de cima e ele simplesmente não consegue usar o cérebro inteiro (quando, mais tarde, você contar a alguém que seu filho "perdeu completamente a cabeça", na verdade estará sendo mais preciso neurologicamente do que imagina!).

Quando o filho está nessa situação de desintegração e um ataque de birra do andar de baixo irrompe com toda força, os pais precisam dar uma resposta completamente diferente. Enquanto a criança que tem um ataque de birra do andar de cima precisa de um pai que estabeleça limites firmes rapidamente, uma reação adequada a um ataque de birra do andar de baixo é muito mais carinhosa e reconfortante. Segundo a técnica de "conectar e redirecionar", discutida no capítulo 2, a primeira atitude que um pai precisa tomar é se conectar com a criança e ajudá-la a se acalmar. Em geral, isso ocorre por meio de toques carinhosos e um tom de voz tranquilizador. Se ela chegou ao ponto de correr o risco de machucar a si mesma ou outra pessoa, ou de destruir algo, talvez você precise mantê-la perto de si e falar calmamente com ela enquanto a afasta do local.

Você pode experimentar diferentes abordagens de acordo com o temperamento do seu filho, mas o mais importante é ajudá-lo a se acalmar e afastá-lo da margem de caos do rio. Não faz sentido falar sobre consequências ou comportamento adequado. Ele simplesmente não consegue processar nenhuma dessas informações enquanto está no meio do ataque de birra do andar de baixo, porque essa conversa exige que o cérebro do andar de cima esteja funcionando, sendo capaz de escutar e assimilar informações. Assim, a sua primeira tarefa, quando o cérebro do andar de cima de seu filho foi sequestrado pelo cérebro do andar de baixo, é ajudar a acalmar sua amígdala.

Então, depois que o cérebro do andar de cima voltar à cena, você poderá reagir à questão usando lógica e razão ("Você não gostou do jeito como o papai lavou seu cabelo? Você tem alguma sugestão de como devemos lavá-lo da próxima vez?"). Depois que ele estiver em um lugar mais receptivo, você também poderá falar sobre comportamentos adequados e inadequados e sobre possíveis consequências ("Sei que você estava muito bravo por causa da água batendo no seu rosto. Mas não é legal bater quando estamos bravos. Você pode falar e dizer para o papai: 'Não gosto disso. Por favor, pare'"). Agora, sua disciplina pode manter sua autoridade – isso é fundamental –, mas você pode agir assim com uma postura mais informada e compassiva. É muito provável que seu filho internalize essa lição, porque você o está ensinando quando o cérebro dele está mais receptivo ao aprendizado.

Como qualquer pai veterano sabe, abrir a tampa não é uma exclusividade de crianças pequenas. Pode parecer diferente quando ocorre com uma criança de 10 anos de idade, mas crianças de qualquer idade (ou mesmo adultos!) podem ter o cérebro do andar de baixo dominado em situações com alto grau de emoção. É por isso que a consciência do cérebro do andar de cima e do cérebro do andar de baixo – e dos ataques de birra que se originam em cada um deles – pode nos ajudar a sermos mais eficazes quando disciplinamos nossos filhos. Podemos ver mais claramente quando chegou o momento de estabelecermos limites e quando devemos sentir compaixão para ajudar a envolver o cérebro do andar de cima.

Ataques de birra são apenas um exemplo de como esse conhecimento do andar de cima e do andar de baixo pode ser prático. Agora, falaremos de outras formas pelas quais você pode ajudar a desenvolver o cérebro do andar de cima do seu filho e permitir que ele se torne mais forte e integrado com o cérebro do andar de baixo.

O que você pode fazer:
ajudando a desenvolver e
integrar o cérebro do andar
de cima do seu filho

ESTRATÉGIA DO CÉREBRO POR INTEIRO Nº 3:

ENVOLVER, NÃO ENFURECER: APELANDO PARA O CÉREBRO DO ANDAR DE CIMA

Pergunte a si mesmo, enquanto interage com seus filhos ao longo do dia, a qual parte do cérebro deles você está recorrendo. Você está envolvendo o andar de cima? Ou está despertando o andar de baixo? A resposta a essa pergunta pode determinar o resultado de um daqueles momentos de equilíbrio delicado na criação de filhos. A seguir, veja a história que Tina conta sobre uma vez em que enfrentou exatamente um desses momentos com o filho.

> Ao comer em um de nossos restaurantes mexicanos preferidos, percebi que meu filho de 4 anos havia saído da mesa e estava parado atrás de um pilar a mais ou menos três metros de distância. Por mais que eu o ame e por mais adorável que ele seja a maior parte do tempo, quando vi a expressão brava e desafiadora dele, com a língua para fora em direção à nossa mesa, "adorável" não foi a palavra que me veio à

mente. Nas mesas ao redor, algumas pessoas perceberam a situação e olharam para o meu marido, Scott, e para mim, para verificar como lidaríamos com isso. Naquele momento, Scott e eu sentimos a pressão e o julgamento dos que estavam observando e esperando que estabelecêssemos as regras sobre bons modos em um restaurante.

Claramente, tinha duas opções enquanto me aproximava de meu filho e agachava-me para ficar na altura dos olhos dele. Opção nº 1: poderia usar o caminho tradicional de "ordenar e exigir", com uma ameaça clichê pronunciada em tom sério: "Pare de fazer caretas, menino. Vá se sentar e comer, senão vai ficar sem sobremesa".

Às vezes, a opção nº 1 pode ser uma reação adequada dos pais. Contudo, para meu menino, esse confronto verbal e não verbal teria provocado todos os tipos de emoções reativas no cérebro do andar de baixo – a parte que os cientistas chamam de cérebro reptiliano –, e ele teria revidado como um réptil sendo atacado.

Opção nº 2: poderia acessar o cérebro do andar de cima dele para obter uma reação mais pensada – em vez de uma luta/reação.

Cometo muitos erros na criação dos meus filhos (como eles mesmos podem atestar), mas justamente no dia anterior havia dado uma palestra a um grupo de pais sobre o cérebro do andar de cima e o cérebro do andar de baixo e sobre como usar os desafios do dia a dia – momentos de sobrevivência – como oportunidades para ajudar nossos filhos a prosperar. Assim, para sorte do meu filho, tudo estava fresco na minha mente. Decidi escolher a opção nº 2.

Comecei com uma observação:

— Você parece estar bravo. É isso mesmo? (lembra-se de "conectar e redirecionar"?) Ele franziu o rosto ferozmente, botou a língua para fora mais uma vez e declarou em voz alta:

— Sim!

Na verdade, fiquei aliviada de ele ter parado aí. Não seria nada estranho ele ter acrescentado seu mais recente insulto preferido e me chamado de "cara de peido" (juro que não sei onde ele aprende essas coisas).

Perguntei por que estava bravo e descobri que ele estava furioso com Scott por haver lhe dito que ele precisava comer pelo menos metade da quesadilla antes de receber a sobremesa. Expliquei que compreendia por que isso era ruim e disse:

— Bem, o papai é muito bom para negociar. Decida o que você considera uma quantidade justa para comer e vá falar com ele sobre isso. Diga-me se precisar de ajuda com o seu plano — passei a mão nos cabelos dele, voltei para a mesa e observei o rosto mais uma vez adorável dele demonstrar que estava pensando muito. O cérebro do andar de cima estava definitivamente funcionando. Na verdade, estava em guerra com o cérebro do andar de baixo. Até agora, havíamos evitado uma explosão, mas ainda parecia que um fusível perigoso podia estar queimando dentro dele.

Em quinze segundos, mais ou menos, meu filho voltou para a mesa e disse a Scott, em um tom de voz irritado:

— Papai, não quero comer metade da minha quesadilla. Quero comer a sobremesa.

A resposta de Scott se encaixou perfeitamente à minha:

— Bem, quanto você acha que seria uma quantidade justa?

A resposta veio lenta e firmemente decidida:

— Em uma palavra: dez mordidas.

O que torna essa resposta nada matemática ainda mais engraçada é que dez mordidas significavam que ele comeria bem mais da metade da quesadilla. Então Scott aceitou a contraproposta, meu filho comeu alegremente suas dez mordidas e depois a sobremesa e a família toda (assim como os outros clientes do restaurante) pôde aproveitar a refeição sem mais incidentes. O cérebro do andar de baixo do meu filho nunca tomou conta completamente da situação, o que, para nossa sorte, significou que o cérebro do andar de cima havia ganhado o dia.

Mais uma vez, a opção nº 1 teria sido perfeitamente boa, adequada até, mas teria deixado passar uma oportunidade. Meu filho teria perdido a chance de ver que relacionamentos se tratam de conexão, comunicação e concessão. Teria perdido a chance de se sentir capacitado a fazer escolhas, influir no ambiente a seu redor e resolver problemas. Em suma, teria perdido a oportunidade de exercitar e desenvolver seu cérebro do andar de cima.

Apresso-me a observar que, embora tenha escolhido a opção nº 2, Scott e eu ainda precisamos tratar da parte do mau comportamento do incidente. Depois que nosso filho estava mais controlado e podia realmente ser receptivo ao que tínhamos a dizer, discutimos a importância de ser respeitoso e bem-educado em um restaurante, mesmo quando se está infeliz.

Esse é um exemplo de como a simples consciência do cérebro do andar de baixo e do cérebro do andar de cima pode resultar em um impacto direto e imediato sobre a forma como criamos e disciplinamos nossos filhos. Perceba que quando o desafio se apresentou, Tina perguntou a si mesma: "Com que parte do cérebro quero me comunicar aqui?". Ela poderia ter conseguido o que queria desafiando o filho e exigindo que ele mudasse imediatamente de comportamento. Ela tem autoridade suficiente para fazê-lo obedecer-lhe (ainda que com desagrado). Contudo, essa abordagem teria despertado o cérebro do andar de baixo e sua raiva e sentimentos de injustiça o teriam enfurecido. Em vez disso, Tina envolveu o cérebro do andar de cima dele, ajudando-o a pensar na situação e encontrar uma forma de negociar com o pai.

ESTRATÉGIA 3
EM VEZ DE ENFURECER O CÉREBRO DO ANDAR DE BAIXO...

> Eu odeio você, mamãe!

> Não é certo dizer isso, nem quando você está brava. Sei que está brava, mas não pode dizer essa palavra. Nunca mais volte a dizê-la!

ENVOLVA O CÉREBRO DO ANDAR DE CIMA

> Eu odeio você, mamãe!
> Sim! Eu odeio você!
> Sim! Você é muito má!
>
> Você está muito brava porque não dei aquele colar a você?
> Parece que você está muito chateada.

> Aquele colar não estava à venda. Tudo bem você querer continuar chateada, mas, se preferir, podemos solucionar esse problema e ter outra ideia.
> Como fazemos isso?

Vamos deixar algo claro: às vezes, não há espaço para negociar em interações entre pais e filhos. Crianças precisam respeitar a autoridade dos pais, o que muitas vezes significa que não simplesmente quer dizer não, sem espaço para discussão. Além disso, às vezes contrapropostas são inaceitáveis. Se o filho de 4 anos de Tina tivesse sugerido que daria apenas uma mordida na comida do almoço, o pai dele não estaria tão receptivo a negociar.

Porém, enquanto criamos e disciplinamos nossos filhos, temos *muitas* oportunidades de interagir de maneiras que envolvam e desenvolvam o cérebro do andar de cima deles.

Perceba que essa mãe decidiu *não dar* um ultimato, pois isso enfureceria o cérebro do andar de baixo. Em vez disso, envolveu o cérebro do andar de cima ao orientar a filha a usar palavras mais precisas e específicas para expressar como estava se sentindo ("Você está muito brava porque não dei aquele colar a você?"). Então, ela pediu para a filha ajudá-la a resolver o problema. Quando a menina perguntou: "Como fazemos isso?", a mãe sabia que o cérebro do andar de cima estava participando. Naquele momento, a menina seria capaz de discutir o problema com a mãe de uma forma que simplesmente não conseguiria alguns segundos antes. Ambas poderiam fazer um *brainstorm* juntas sobre comprar outro colar na loja ou fazer um em casa. A mãe também poderia falar com a filha sobre como usar as palavras quando estivesse brava.

Toda vez que dizemos "Convença-me" ou "Dê uma solução boa para nós dois", damos a nossos filhos a chance de resolver problemas e tomar decisões. Nós os ajudamos a pensar em comportamentos adequados e em suas consequências e sobre como o outro se sente e o que quer. Tudo porque encontramos uma maneira de envolver o andar de cima, em vez de enfurecer o andar de baixo.

ESTRATÉGIA DO CÉREBRO POR INTEIRO Nº 4:

USAR OU PERDER: EXERCITANDO O CÉREBRO DO ANDAR DE CIMA

Além de apelar para o cérebro do andar de cima de nossos filhos, também queremos ajudá-los a exercitá-lo. O cérebro do andar de cima é como um músculo: quando é usado, desenvolve-se, fica mais forte e trabalha melhor. Quando é ignorado, não se desenvolve da melhor maneira possível, perdendo parte da força e da capacidade de funcionar. É o que queremos dizer com "usar ou perder". Queremos ser intencionais em relação ao desenvolvimento do cérebro do andar de cima de nossos filhos. Como vínhamos dizendo, um cérebro do andar de cima forte equilibra o cérebro do andar de baixo, sendo fundamental para a inteligência social e a emocional. É a base de uma boa saúde mental. Nossa função é oferecer a nossos filhos uma oportunidade depois da outra para exercitarem o cérebro do andar de cima, de modo que este se torne mais forte e poderoso.

Enquanto você e seus filhos atravessam o dia, fique atento a formas de enfocar e exercitar diferentes funções do cérebro do andar de cima. Vamos dar uma olhada em algumas delas, uma a uma.

TOMADA DE DECISÕES DE QUALIDADE

Uma grande tentação dos pais é tomar decisões pelos filhos, para que sempre façam a coisa certa. Mas, com a maior frequência possível, precisamos lhes proporcionar experiências para que tomem decisões por si mesmos. Tomada de decisão exige funcionamento executivo, que ocorre quando o cérebro do andar de cima avalia diferentes opções. Considerar várias alternativas concorrentes, bem como os resultados dessas escolhas, confere experiência ao cérebro do andar de cima de uma criança, fortalecendo-o e permitindo que funcione melhor.

Para crianças muito pequenas, isso pode ser tão simples como perguntar: "Você quer usar os sapatos azuis ou os brancos hoje?". Depois, conforme vão envelhecendo, podemos lhes dar mais responsabilidade ao tomarem decisões e permitir que assumam alguns dilemas que possam realmente as desafiar. Por exemplo, se sua filha de 10 anos tem um conflito de agenda – tanto o acampamento das escoteiras quanto o jogo decisivo do time de futebol ocorrem no sábado e ela não poderá estar nos dois lugares ao mesmo tempo –, encoraje-a a fazer uma escolha. É muito mais provável que ela se sinta confortável, se não absolutamente feliz, quanto a ter de abrir mão de um compromisso se tiver sido parte do processo de tomada de decisão.

A mesada é outra maneira excelente de dar a crianças mais velhas prática para lidar com dilemas difíceis. A experiência de decidir entre comprar um jogo de computador agora ou continuar economizando para aquela bicicleta nova é uma forma poderosa de exercitar o cérebro do andar de cima. A questão é deixar seu filho enfrentar a decisão e viver com as consequências dela. Sempre que puder fazer isso de maneira responsável, evite resolver e resista a resgatar, mesmo quando cometem pequenos erros ou fazem escolhas não muito boas. Afinal, seu objetivo aqui não é a perfeição em todas as decisões, mas um cérebro do andar de cima desenvolvido ao máximo ao longo do caminho.

CONTROLANDO AS EMOÇÕES E O CORPO

Outra tarefa importante – e difícil – para os pequenos é manterem-se no controle de si mesmos. Assim, precisamos dar-lhes habilidades que os ajudem a tomar boas decisões quando estiverem incomodados. Use técnicas com as quais você provavelmente já está familiarizado: ensine-os a respirar fundo ou contar até dez. Ajude-os a expressar seus sentimentos. Deixe-os bater os pés com força no chão ou socar uma almofada. Você também pode ensinar-lhes o que ocorre em seus cérebros quando sentem estar perdendo o controle – e como evitar "abrir a tampa" (vamos ajudar com isso na seção "Crianças com cérebro por inteiro", no final do capítulo).

Mesmo crianças pequenas têm capacidade de parar e pensar em vez de machucar alguém com as palavras ou os punhos. Nem sempre tomarão boas decisões, mas quanto mais praticarem alternativas que não sejam partir para o ataque, mais forte e capaz se tornará o cérebro do andar de cima delas.

AUTOCOMPREENSÃO

Uma das melhores maneiras de promover a autocompreensão em seus filhos é fazer perguntas que os ajudem a olhar além da superfície do que compreendem: "Por que você acha que fez aquela escolha? O que fez você se sentir daquele jeito? Por que acha que não se saiu bem na prova... Foi porque se apressou ou a matéria realmente era muito difícil?".

Foi o que um pai fez para sua filha de 10 anos, Catherine, enquanto a ajudava a fazer as malas para o acampamento de férias. Ele perguntou se ela achava que sentiria saudade quando estivesse longe de casa. Quando recebeu a esperada resposta evasiva "Talvez", ele fez mais uma pergunta:

– Como você acha que vai lidar com isso?

Mais uma vez, recebeu uma não resposta – "não sei" –, mas, desta vez, pode vê-la começando a pensar na pergunta, ainda que um pouco.

Então, pressionou ainda mais:

– Se começar a sentir saudade de casa, o que você pode fazer para se sentir melhor?

Catherine continuou a enfiar roupas na mochila, mas estava evidentemente pensando na pergunta. Finalmente, deu uma resposta de verdade.

– Acho que posso escrever uma carta para vocês ou fazer algo divertido com meus amigos.

A partir daí, ela e o pai puderam conversar alguns minutos sobre as expectativas e preocupações dela quanto a ficar longe de casa, e ela desenvolveu mais autocompreensão. Simplesmente porque o pai fez algumas perguntas a ela.

Quando seu filho tem idade suficiente para escrever – ou mesmo desenhar –, talvez seja bom lhe dar um diário e estimulá-lo a escrever ou desenhar diariamente. Esse ritual pode incrementar sua capacidade de prestar atenção e compreender sua paisagem interna. A uma criança mais nova, peça que faça desenhos que contem uma história. Quanto mais seus filhos pensarem no que está acontecendo dentro de si mesmos, mais desenvolverão a capacidade de compreender e reagir ao que está ocorrendo nos mundos dentro e ao redor deles.

EMPATIA

Empatia é outra função importante do cérebro do andar de cima. Quando fazemos perguntas simples que nos estimulam a considerar os sentimentos do outro, estamos construindo a capacidade de nossos filhos sentirem empatia. Em um restaurante: "Por que você acha que aquele bebê está chorando?". Enquanto vocês estão lendo juntos: "Como você acha que Melinda está se sentindo agora que a amiga dela se mudou para longe?". Ao sair de uma loja: "Aquela moça não foi muito legal com a gente, né? Acha que pode ter acontecido algo que a tenha deixado triste hoje?".

Ao atrair a atenção do seu filho às emoções de outras pessoas durante encontros do dia a dia, você pode abrir novos níveis inteiros de compaixão dentro dele e exercitar o cérebro do andar de cima. Cada vez mais, cientistas estão começando

CAPÍTULO 3

ESTRATÉGIA 4
EM VEZ DE SIMPLESMENTE DAR A RESPOSTA

> SINTO MUITO, MAS VOCÊ NÃO PODE FICAR COM ESSE FRISBEE. NÃO É SEU. VAMOS DEVOLVÊ-LO AO LUGAR ONDE VOCÊ O ENCONTROU.

EXERCITE O CÉREBRO DO ANDAR DE CIMA

> SEI QUE VOCÊ O ENCONTROU E GOSTARIA DE FICAR COM ELE, MAS SE O LEVARMOS, O QUE ACONTECERÁ SE OUTRA CRIANÇA VIER BUSCÁ-LO E ELE NÃO ESTIVER AQUI?

a acreditar que a empatia tem suas raízes em um sistema complexo que está sendo chamado de neurônios-espelho, que abordaremos no capítulo 4. Quanto mais experiências de pensar nos outros você proporcionar ao cérebro do andar de cima do seu filho, mais ele será capaz de sentir compaixão.

MORALIDADE

Todos os atributos de um cérebro do andar de cima bem integrado culminam em um dos mais importantes objetivos que temos em relação a nossos filhos: uma forte noção de moralidade. Quando as crianças tomam boas decisões enquanto se controlam, trabalhando com empatia e autocompreensão, desenvolverão uma noção de moralidade sólida e ativa, não apenas de certo e errado, mas também do que é para o bem maior, além de suas necessidades individuais. Mais uma vez, não podemos esperar consistência absoluta deles por causa do cérebro ainda em desenvolvimento. Contudo, queremos levantar questões a respeito de moral e ética o mais frequentemente possível em situações normais do dia a dia.

Outra forma de exercitar essa parte do cérebro é oferecer situações hipotéticas que as crianças adoram: "Seria certo passar no farol vermelho se houvesse uma emergência? Se um valentão estivesse implicando com alguém na escola e não houvesse adultos por perto, o que você faria?". A questão é desafiar seus filhos a pensar em como agem e levar em consideração as implicações das decisões que tomam. Ao fazer isso, você lhes proporciona a experiência de pensar por meio de princípios morais e éticos, o que, com a sua orientação, será a base da maneira como tomarão decisões pelo restante da vida.

É claro, pense no exemplo que você está dando com seu próprio comportamento. Enquanto ensina honestidade, generosidade, bondade e respeito a seus filhos, garanta que eles vejam que você vive uma vida que incorpora esses valores da mesma forma. Os exemplos que você dá, para o bem e para o mal, causarão um impacto significativo na forma como o cérebro do andar de cima de seus filhos se desenvolve.

ESTRATÉGIA DO CÉREBRO POR INTEIRO Nº 5:
MOVER OU PERDER: MOVIMENTANDO O CORPO PARA EVITAR PERDER A MENTE

Uma pesquisa demonstrou que o movimento do corpo afeta diretamente a química do cérebro. Assim, quando um de seus filhos perder o contato com o cérebro do andar de cima, um jeito poderoso de ajudá-lo a recuperar o equilíbrio é fazê-lo movimentar o corpo. A seguir, veja o relato de uma mãe sobre seu filho de 10 anos que passou por um período em que recuperou o controle sendo fisicamente ativo.

> Dois dias depois de Liam começar a frequentar a quinta série, ele começou a se sentir completamente sobrecarregado pela quantidade de dever de casa que o professor estipulava (concordei com ele, aliás. Era muito dever de casa). Ele reclamou muito, mas acabou dirigindo-se para o quarto para fazer o dever.
>
> Quando fui conferir como ele estava se saindo, encontrei-o literalmente encolhido, em posição fetal, embaixo do pufe do quarto dele. Eu o estimulei a sair de lá, sentar diante da mesa e continuar estudando. Ele não parava de se lamuriar, dizendo que

> não conseguiria fazer tudo: "É muita coisa!". Eu me oferecia para ajudá-lo, mas ele sempre recusava meu auxílio.
>
> Então, de repente, ele saiu de debaixo do pufe em um salto, desceu as escadas, atravessou a porta da frente e correu. Ele correu por diversas quadras da vizinhança antes de voltar para casa.
>
> Após retornar para casa em segurança, calmo e fazendo um lanche, pude conversar e perguntar por que havia saído daquele jeito. Ele disse que não sabia o motivo. "A única coisa em que consigo pensar é que me sentiria melhor se corresse o mais rápido que pudesse pelo máximo de tempo que conseguisse. E funcionou". Preciso admitir que ele pareceu estar muito mais calmo, pronto para me deixar ajudá-lo com o dever de casa.

Embora Liam não soubesse disso, quando saiu de casa para correr, ele estava praticando integração. O cérebro do andar de baixo dele havia submetido o cérebro do andar de cima, deixando-o sentir-se sobrecarregado e impotente. Ele havia se aproximado muito da margem de caos do rio. As tentativas de sua mãe de ajudá-lo a ativar o cérebro do andar de cima não obtiveram sucesso, mas, quando Liam pôs o corpo na conversa, algo mudou em seu cérebro. Depois de alguns minutos de exercício, ele conseguiu acalmar a amígdala e devolver o controle ao cérebro do andar de cima.

Estudos dão respaldo a Liam e à sua estratégia espontânea. Uma pesquisa demonstrou que, quando mudamos nosso estado físico – por meio de movimento ou relaxamento, por exemplo –, conseguimos alterar nosso estado emocional. Tente sorrir por um minuto – isso pode fazê-lo se sentir mais feliz. Respirações rápidas e superficiais acompanham estados ansiosos, mas se você respirar profunda e lentamente, provavelmente se sentirá mais calmo (experimente esses exercícios simples com seu filho para lhe mostrar como o corpo afeta a forma como ele se sente).

O corpo está repleto de informações que envia ao cérebro. Na verdade, muito das emoções que sentimos começa no corpo. Embrulho no estômago e ombros tensos mandam mensagens físicas de ansiedade para o cérebro antes de termos consciência de que estamos nervosos. O fluxo de energia e informações do corpo até o tronco cerebral, para a região límbica e, então, até o córtex, modifica estados corporais, emocionais e pensamentos.

O que aconteceu com Liam, então, foi que o movimento do corpo o ajudou a deixar todo o *self* em um estado de integração, de modo que o cérebro do andar de cima, o cérebro do andar de baixo e o corpo conseguissem mais uma vez exercer suas funções de forma efetiva e saudável. Quando ele se sentiu sobrecarregado, o fluxo de energia e informações ficou bloqueado, resultando em desintegração. Mover o corpo vigorosamente liberou parte da raiva e da tensão, permitindo-lhe relaxar. Então, depois da corrida, o corpo dele mandou informações "mais tranquilas" para o cérebro do andar de cima, significando que o equilíbrio emocional havia retornado e as diferentes partes do cérebro e do corpo começaram a funcionar novamente de forma integrada.

Da próxima vez que seus filhos precisarem se acalmar ou recuperar o controle, procure maneiras de fazê-los se movimentarem. Com crianças pequenas, experimente o que pode ser chamado de trapaças carinhosas e criativas.

A diversão dessa brincadeira, aliada à atividade física, pode mudar completamente a atitude mental da criança e tornar a manhã muito mais agradável para vocês dois.

ESTRATÉGIA 5
EM VEZ DE ORDENAR E EXIGIR...

TENTE MOVER OU PERDER

A técnica funciona também com crianças mais velhas. Um treinador de beisebol infantil que conhecemos ouviu falar do princípio "mover ou perder" e acabou fazendo seus jogadores pularem para cima e para baixo no abrigo do campo quando se sentiam desencorajados depois de perder algumas bolas no começo do campeonato. O movimento dos garotos provocou uma guinada de empolgação e injetou nova energia nos corpos e cérebros deles, que acabaram voltando e vencendo o jogo (mais uma vitória para a neurociência!).

Às vezes, você pode simplesmente explicar o conceito: "Sei que não gostou de não poder dormir fora de casa com sua irmã. Não parece justo, né? Vamos andar de bicicleta e falar sobre isso". Às vezes, simplesmente mexer o corpo pode ajudar o cérebro a sentir que tudo ficará bem. Seja como for que faça isso, a ideia é ajudar seu filho a recuperar certo equilíbrio e controle mexendo o corpo, o que pode remover bloqueios e abrir o caminho para a integração.

Crianças com cérebro por inteiro: instrua seus filhos sobre o cérebro do andar de baixo e o cérebro do andar de cima

Crianças conseguem compreender com facilidade as informações do andar de cima e do andar de baixo apresentadas neste capítulo. A seguir, veja algo que poderá ler para seus filhos e ajudá-los a continuar a conversa.

CRIANÇAS COM CÉREBRO POR INTEIRO:
INSTRUA SEUS FILHOS SOBRE O CÉREBRO DO ANDAR DE BAIXO E O CÉREBRO DO ANDAR DE CIMA

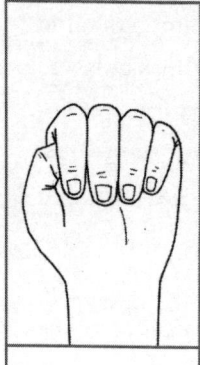

Feche a mão assim. Isto é o que chamamos de modelo de mão do cérebro. Lembra que temos um lado esquerdo e um lado direito do cérebro? Bem, também temos um andar de cima e um andar de baixo.

PENSAMENTO — ESCOLHA TRANQUILA — CÉREBRO DO ANDAR DE CIMA

Com o cérebro do andar de cima, tomamos boas decisões e fazemos a coisa certa, mesmo quando estamos muito chateados.

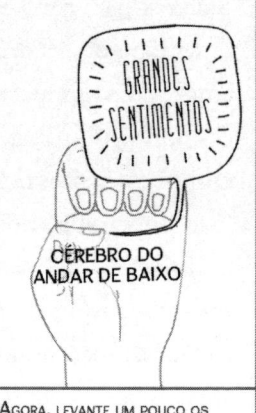

GRANDES SENTIMENTOS — CÉREBRO DO ANDAR DE BAIXO

Agora, levante um pouco os dedos, como na imagem. Consegue ver onde está o polegar? Aquilo é parte do nosso cérebro do andar de baixo, de onde vêm nossos sentimentos grandes de verdade. Ele permite que nos importemos com as outras pessoas e sintamos amor. Também nos faz sentir chateados, como quando estamos bravos ou frustrados.

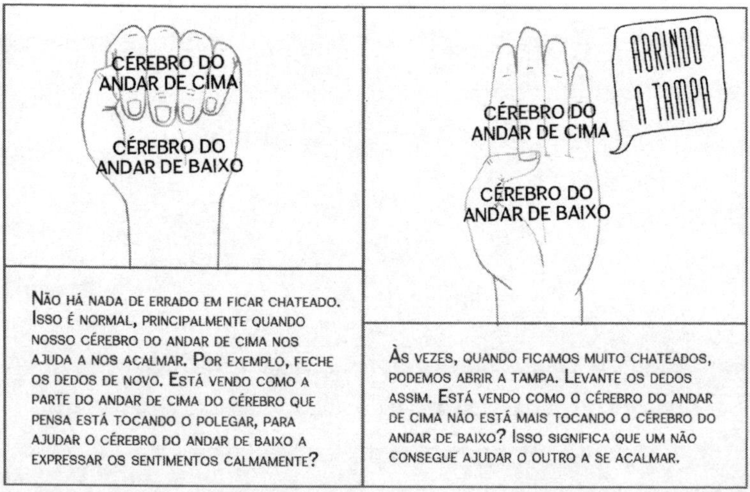

CÉREBRO DO ANDAR DE CIMA
CÉREBRO DO ANDAR DE BAIXO

Não há nada de errado em ficar chateado. Isso é normal, principalmente quando nosso cérebro do andar de cima nos ajuda a nos acalmar. Por exemplo, feche os dedos de novo. Está vendo como a parte do andar de cima do cérebro que pensa está tocando o polegar, para ajudar o cérebro do andar de baixo a expressar os sentimentos calmamente?

CÉREBRO DO ANDAR DE CIMA — ABRINDO A TAMPA
CÉREBRO DO ANDAR DE BAIXO

Às vezes, quando ficamos muito chateados, podemos abrir a tampa. Levante os dedos assim. Está vendo como o cérebro do andar de cima não está mais tocando o cérebro do andar de baixo? Isso significa que um não consegue ajudar o outro a se acalmar.

CAPÍTULO 3

POR EXEMPLO:

Foi o que aconteceu com Jeffrey, quando sua irmã destruiu a torre de Lego dele. Ele abriu a tampa e sentiu vontade de gritar com ela.

Mas os pais de Jeffrey lhe ensinaram a abrir a tampa e mostraram como o cérebro do andar de cima pode abraçar o cérebro do andar de baixo, ajudando-o a se acalmar. Ele ainda estava bravo, mas, em vez de gritar com a irmã, conseguiu dizer que estava irritado e pediu aos pais que a tirassem do quarto.

FAZENDO BOAS ESCOLHAS

GRANDES EMOÇÕES

Então, da próxima vez que sentir que está começando a abrir a tampa, faça um modelo do cérebro com a mão (lembre-se de que é um modelo do cérebro, não um punho cerrado), ponha os dedos bem para cima, depois os abaixe lentamente, para que voltem a ficar em contato com o polegar. Esse será seu lembrete para usar o cérebro do andar de cima na hora de acalmar aqueles grandes sentimentos na parte do andar de baixo do seu cérebro.

Integrando a nós mesmos: usando nossa própria escadaria mental

"Meu filho pequeno ficou gritando por quarenta e cinco minutos e eu não sabia como o confortar. Finalmente, gritei: 'Às vezes, odeio você!'"

"Meu filho tinha 2 anos e arranhou o rosto do irmão menor com tanta força que deixou marcas. Eu o bati no bumbum cinco vezes. Então, saí do quarto, caminhei pelo corredor, dei meia-volta e bati nele de novo, provavelmente mais cinco palmadas. Gritei tão alto com ele que o deixei apavorado."

"Depois de pedir à minha filha para cuidar do irmãozinho que corria na frente do balanço, ela quase bateu nele. Fiquei tão furiosa que, mesmo diante de outras pessoas no parque, eu lhe disse: 'Qual é o seu problema? Você é burra?'"

Essas são algumas experiências de criação de filhos bem horríveis, não são? Elas representam nossos momentos no andar de baixo, nas vezes em que ficamos tão descontrolados que dizemos ou fazemos coisas que jamais deixaríamos qualquer um dizer ou fazer com nossos filhos.

As confissões anteriores são de pais reais que conhecemos pessoalmente. Embora possam ser surpreendentes, cada um deles faz um excelente trabalho na criação dos filhos. Mas, assim como nós, simplesmente perdem as estribeiras de vez em quando e dizem ou fazem coisas que gostariam de não ter dito.

Você poderia acrescentar seu próprio momento no andar de baixo à lista anterior? É claro que sim. Se você é pai ou mãe e ser humano. Vemos isso sempre quando conversamos com pais e os atendemos: ao criarem os filhos em situações muito estressantes, pais cometem erros. Todos cometemos.

Contudo, não esqueça: crises na criação de filhos são oportunidades de crescimento e integração. Você pode usar esses momentos quando tiver perdendo o controle para dar exemplos de autorregulação. Há olhinhos que o observam para ver como *você* se acalma. Suas ações servem de modelo para fazer uma boa escolha em um momento de alta emoção quando está correndo o risco de abrir a *sua* tampa.

Então, o que fazer quando reconhece que seu cérebro do andar de baixo assumiu o controle e você começou a perder a cabeça? Primeiro, não cause danos. Feche a boca para evitar dizer algo de que se arrependerá. Ponha as mãos nas costas para evitar qualquer tipo de contato físico bruto. Quando estiver em um momento do andar de baixo, proteja seu filho a qualquer custo.

Segundo, afaste-se da situação e recomponha-se. Não há nada de errado em dar um tempo, especialmente quando isso significa proteger o seu filho. Você pode dizer que precisa de um tempo para se acalmar, para que ele não se sinta rejeitado. Então, embora possa parecer um pouco bobo às vezes, tente usar nossa técnica "mover ou perder". Pule no lugar. Tente fazer algumas posturas de yoga. Respire lenta e profundamente. Faça o que for necessário para recuperar parte do controle que perdeu quando sua amígdala sequestrou seu cérebro do andar de cima. Você não apenas ficará em um estado mais integrado, como também servirá de modelo para seus filhos com alguns truques rápidos de autorregulação que eles poderão usar.

Finalmente, repare. Rapidamente. Reconecte-se com seu filho assim que ficar calmo e sentir-se no controle de si mesmo. Então, lide com qualquer dano emocional e relacional que tenha sido provocado. Isso pode requerer seu perdão, mas também exigir que você peça desculpas e aceite a responsabilidade dos próprios atos. Esse passo precisa ocorrer o mais rapidamente possível. Quanto antes você reparar a conexão entre você e seu filho, mais cedo ambos recuperarão o equilíbrio emocional e voltarão a aproveitar o relacionamento juntos.

4:
MATE AS BORBOLETAS!

INTEGRANDO A MEMÓRIA PARA CRESCIMENTO E CURA

– De jeito nenhum vou fazer aulas de natação neste verão!

O filho de 7 anos de Tina fez essa declaração decidida quando descobriu que os pais o haviam matriculado em aulas na piscina da escola local. Sentado à mesa do jantar, ele olhou furioso para a mãe e para o pai, lançando a mandíbula para a frente e comprimindo os olhos.

Tina olhou para o marido, Scott, que encolheu os ombros, como que dizendo "Tudo bem, *eu falo primeiro.*"

– Não estou entendendo. Você adora nadar.

– *Exatamente*, papai, *aí é que está* – ele pareceu um pouco sarcástico. – Eu *já sei* nadar.

Scott assentiu com a cabeça.

– Sabemos disso. As aulas são para ajudá-lo a melhorar. Tina acrescentou:

– Além disso, Henry vai fazer também. Vocês dois ficarão juntos todos os dias da semana que vem.

Ele sacudiu a cabeça.

– De jeito nenhum. Não quero saber – olhou para o próprio prato e um sinal de medo invadiu sua voz decidida. – Por favor, não me obriguem a fazer isso.

Scott e Tina se entreolharam, disseram que pensariam a respeito e continuariam a conversa mais tarde, mas ficaram chocados. Era absolutamente incomum o filho rejeitar qualquer atividade com Henry, o melhor amigo dele, especialmente algo relacionado à atividade física.

Situações assim surgem o tempo todo para os pais, quando ficam completamente desconcertados pela forma como o filho reage a algo que eles dizem. Quando medo, raiva, frustração e outras emoções intensas oprimem as crianças e elas agem de uma maneira sem sentido, talvez o motivo seja fácil de corrigir. Podem simplesmente estar com fome ou cansadas. Ou podem ter ficado tempo demais andando de carro. Ou talvez isso ocorra porque têm 2 anos (ou 3, ou 4, ou 5 – ou 15). Outras vezes, as crianças fazem cena ou se comportam de um modo diferente por motivos mais profundos.

Por exemplo, quando Tina e Scott conversaram mais tarde naquela noite, concordaram que a surpreendente reação do cérebro direito do filho provavelmente era o resultado de uma experiência ligeiramente traumática que ele tivera três anos antes, na qual provavelmente ele sequer pensara. Tina sabia que aquele era um ótimo momento para expor ao filho alguns fatos importantes sobre o cérebro, então foi o que fez na hora de dormir naquela noite. Antes que falemos sobre essa conversa, precisamos primeiro explicar o que Tina estava tentando ao conversar com o filho. Ela sabia que uma das melhores maneiras de ajudar uma criança a lidar com experiências difíceis é compreender questões básicas sobre a ciência de como a memória funciona no cérebro.

CAPÍTULO 4

MEMÓRIA E O CÉREBRO: DOIS MITOS

Vamos começar com dois mitos sobre a memória.

MITO Nº 1

> *A memória é um arquivo mental. Quando pensamos em nosso primeiro encontro ou no nascimento de nosso filho, apenas abrimos a gaveta de arquivos certa do cérebro e acessamos essa memória.*

Seria legal e conveniente se isso fosse verdade, mas simplesmente não é assim que o cérebro funciona. Não há milhares de pequenos "arquivos de memória" na sua cabeça esperando que você os acesse e traga-os à consciência para pensar neles. Em vez disso, a memória tem tudo a ver com associações. Como uma máquina de associação, o cérebro processa algo no momento presente – uma ideia, um sentimento, um cheiro, uma imagem – e relaciona essa experiência com experiências parecidas do passado. Essas experiências anteriores influenciam muito como compreendemos o que vemos ou sentimos. Essa influência ocorre por causa de associações no cérebro, onde diferentes neurônios (ou células cerebrais) se ligam uns aos outros. Então, basicamente, memória é a forma como um evento do passado nos influencia no presente.

Por exemplo, imagine que você encontrou uma velha chupeta entre as almofadas do sofá. Que tipo de emoções e memórias sentiria? Se ainda tem um bebê em casa, talvez nada muito relevante. Mas se faz alguns anos que seu caçula parou de usar chupeta, talvez você seja tomado por associações sentimentais. Talvez se lembre de como ela parecia gigante na boca do seu recém-nascido ou da rapidez com que se mexeu na primeira vez em que seu filho pequeno dividiu a chupeta com o cachorro. Ou talvez reviva aquela noite triste em que todos deram adeus às chupetas para sempre. No momento em que você a encontra, todos os tipos de associação voltam à sua consciência, causando um impacto em seus sentimentos e humores do presente com base em fortes associações do passado. Memória é basicamente isso: associação.

Sem complicar muito, eis o que acontece no cérebro: toda vez que passamos por uma experiência, neurônios "disparam" ou ativam-se com sinais elétricos. Quando essas células cerebrais disparam, elas se ligam ou se juntam a outros neurônios. Essas ligações criam associações. Como explicamos na introdução, isso significa que toda experiência literalmente muda a constituição física do cérebro, uma vez que os neurônios estão constantemente sendo conectados (e separados) com base nas nossas experiências. Neurocientistas explicam esse processo dizendo que "neurônios que disparam juntos se ligam juntos". Em outras palavras, toda nova experiência faz determinados neurônios dispararem e, quando isso acontece, ligam-se ou se conectam com outros neurônios que estejam disparando ao mesmo tempo.

Isso não combina com a sua experiência? A simples menção de morder um limão pode nos fazer salivar. Ou uma música no carro nos transporta para uma encabulada dança lenta no tempo de escola.

Lembra-se de quando você deu à sua filha de 4 anos um chiclete depois da aula de balé aquela única vez? O que ela queria e esperava depois de todas as aulas de balé desde esse episódio? É claro. Chiclete. Por quê? Porque os neurônios do final de aula de balé dela haviam disparado e se ligado com os neurônios do chiclete. Neurônios que disparam juntos se ligam juntos.

É assim que a memória funciona. Uma experiência (o final da aula de balé) faz certos neurônios dispararem, os quais podem se ligar a neurônios de outra experiência (ganhar chiclete). Então, toda vez que passamos pela primeira experiência, nosso cérebro a conecta com a segunda. Dessa forma, quando a aula de balé termina, nosso cérebro tem a expectativa de ganhar chiclete. O gatilho pode ser um acontecimento interno – um pensamento ou um sentimento – ou externo que o cérebro associa com algo do passado. Independentemente, essa memória provocada estabelece expectativas em relação ao futuro. O cérebro se prepara continuamente para o futuro com base no que aconteceu antes. Memórias moldam nossas percepções atuais, fazendo-nos prever o que acontecerá a seguir. Nosso passado molda nosso presente e nosso futuro por meio de associações dentro do cérebro.

MITO Nº 2

A memória é uma fotocopiadora. Quando acessamos memórias, vemos reproduções precisas e exatas do que aconteceu no passado. Você se lembra de si mesmo em seu primeiro encontro com roupas e cabelos ridículos e acha graça do próprio nervosismo. Ou vê o médico segurando seu bebê recém-nascido e revive as emoções intensas daquele momento.

Mais uma vez, não é exatamente assim que acontece. Bom, as roupas e os cabelos ridículos podem realmente ser um fato, mas a memória não é uma reprodução exata dos eventos do passado. Sempre que recuperamos uma memória, nós a alteramos. O que você recorda pode ser exatamente o que aconteceu, mas o simples ato de relembrar uma experiência a modifica, às vezes de maneira significativa. Cientificamente, a recuperação da memória ativa um conjunto neural parecido com, mas não idêntico, aquele criado no momento da codificação. Dessa forma, as memórias são distorcidas – às vezes ligeira, às vezes extremamente –, embora você acredite estar sendo preciso.

Todos nós já tivemos uma conversa com um irmão ou o marido em que, ao contarmos uma história, eles dizem: "Não foi assim que aconteceu!". Nosso estado de espírito quando a memória foi codificada e o estado de espírito de quando a recordamos influenciam e modificam a própria memória. Assim, a história que você realmente conta é menos história e mais ficção histórica.

Mantenha esses dois mitos em mente enquanto falamos nas próximas páginas sobre seus filhos e a forma como as experiências passadas provocam um impacto neles. Lembre-se de que a memória se trata de ligações no cérebro (e não de arquivos organizados em ordem alfabética para serem acessados sempre que necessário) e memórias recuperadas são, por definição, vulneráveis à distorção (e não fotocópias precisas e detalhadas do seu passado).

A VERDADE SOBRE A MEMÓRIA: VAMOS FICAR EXPLÍCITOS (E IMPLÍCITOS)

Pense na sua memória para trocar uma fralda. Quando se aproxima de um trocador, você não determina ativamente os passos do processo: "Muito bem, primeiro coloque o bebê sobre o trocador. Agora, abra o pijama e tire a fralda molhada. Coloque a fralda limpa embaixo do bebê e...".

Não, nada disso é necessário. Quando trocamos uma fralda, simplesmente fazemos isso. Você já trocou tantas vezes antes que sequer pensa no que está fazendo. Seu cérebro dispara conjuntos de neurônios e faz você abrir os adesivos, tirar a fralda, pegar um lenço umedecido e assim por diante, tudo sem perceber que está se "lembrando" de como faz isso. Esse é um tipo de memória: experiências passadas (a troca de uma fralda depois da outra) influenciam seu comportamento no presente (a troca dessa fralda em particular) sem qualquer percepção de que a sua memória foi provocada.

Se, por outro lado, você pensar no dia em que trocou uma fralda pela primeira vez, talvez faça uma pequena pausa, varra a memória e surja com uma imagem de si mesmo segurando nervosamente o tornozelo de um bebê, fazendo uma careta para o que encontrou na fralda e depois se esforçando para adivinhar o que deve fazer em seguida. Quando pensa ativamente nessas imagens e emoções, está ciente de que está se lembrando de algo do passado. Isso também é memória, mas é diferente da memória que permite que você troque uma fralda agora sem sequer pensar no assunto.

Esses dois tipos de memória se entrelaçam e trabalham juntas em sua vida cotidiana normal. A memória que permite que você troque seu bebê sem saber que está lembrando é chamada *implícita*. Sua capacidade de recordar o aprendizado para trocar uma fralda (ou qualquer outro momento específico) é a memória *explícita*. Normalmente, quando pensamos na memória, falamos sobre o que tecnicamente é a memória explícita: uma recordação consciente de uma experiência passada. Contudo, precisamos conhecer ambos os tipos de memória, para o nosso próprio bem e para o bem de nossos filhos. Ao termos uma noção clara desses dois tipos diferentes de memória, podemos oferecer a nossos filhos o que eles precisam enquanto crescem, amadurecem e lidam com experiências difíceis.

Vamos começar enfocando as memórias implícitas, que iniciam sua formação no instante em que nascemos. Dan conta uma história sobre um "estudo de pesquisa" informal que realizou na própria família.

> Quando minha mulher estava grávida de nossos dois filhos, eu costumava cantar para eles no útero. Era uma antiga canção russa que minha avó cantava para mim, uma canção infantil sobre o amor dela pela vida e pela mãe: "Que sempre haja sol, que sempre haja tempos felizes, que sempre haja a mamãe e que sempre haja eu". Eu a cantava – em russo e inglês – durante o último trimestre de gravidez, período em que o sistema auditivo estava conectado o suficiente para registrar o som chegando através do líquido amniótico.
>
> Então, na primeira semana depois que cada um de meus filhos nasceu, convidei um colega para fazer um "estudo de pesquisa" (não foi controlado, mas foi divertido). Sem revelar a canção pré-natal, cantei três canções diferentes. Sem dúvida, quando os bebês ouviam a canção conhecida, os olhos deles se abriam mais e ficavam mais alertas, de modo que meu colega conseguiu identificar facilmente a mudança no nível de atenção deles. Uma memória perceptiva havia sido codificada (agora meus filhos não me deixam cantá-la. Provavelmente, soava melhor embaixo d'água).

Os filhos recém-nascidos de Dan reconheciam sua voz e a canção russa porque essa informação havia sido codificada em seus cérebros como memórias implícitas. Codificamos a memória implícita ao longo da vida. Nos primeiros dezoito meses, codificamos *apenas* implicitamente. Um bebê codifica cheiros, sabores, sons da casa e dos pais, sensações da barriga quando está com fome, a delícia do leite morno, a forma como a mãe fica tensa em resposta à chegada de determinado parente. A memória implícita codifica nossas percepções, emoções e sensações corporais e, conforme ficamos mais velhos, comportamentos como aprender a rastejar, caminhar, andar de bicicleta e até trocar uma fralda.

O que é fundamental compreender em relação à memória implícita – especialmente quando se trata de nossos filhos e de seus medos e frustrações – é que ela nos faz formar expectativas sobre a forma como o mundo funciona com base em nossas experiências prévias. Lembra-se da conexão entre balé e chiclete? Como neurônios que disparam juntos se ligam juntos, criamos determinados modelos mentais com base no que aconteceu no passado. Se você abraçar seu filho pequeno toda vez que voltar para casa do trabalho à noite, ele terá um modelo mental em que o seu retorno será repleto de afeto e conexão. Isso ocorre porque a memória implícita cria a "preparação" e o cérebro apronta-se para reagir de determinada maneira. Quando você chega em casa, seu filho espera um abraço. Não apenas o mundo interno dele está preparado para receber esse gesto de carinho, como ele mexerá os braços com expectativa quando ouvir seu carro entrando na garagem. Conforme ele ficar mais velho, a preparação continuará operando com comportamentos mais complexos. Alguns anos mais tarde, se um professor de piano frequentemente criticar a forma de ele tocar, ele poderá criar um modelo mental de que não gosta de piano ou mesmo de que não é uma pessoa musical. Uma versão mais extrema desse processo ocorre no caso do transtorno do estresse pós-traumático (TEPT), em que uma memória implícita de uma experiência perturbadora se torna codificada no cérebro de uma pessoa e um determinado som ou uma imagem ativa essa memória sem que a pessoa sequer se dê conta de que se trata de uma memória. A memória implícita é basicamente um processo evolutivo que nos mantém seguros e fora de perigo. Liberta-nos para conseguirmos reagir rapidamente ou mesmo automatizarmos nossas reações em momentos de perigo sem termos de recordar ativa ou intencionalmente experiências semelhantes prévias.

Como pais, isso significa que quando nossos filhos parecem reagir de maneiras extraordinariamente insensatas, temos de considerar se uma memória implícita não criou um modelo mental que precisamos ajudá-los a explorar. Foi o que Tina fez com o filho quando o pôs na cama e conversou sobre as aulas de natação. A conversa deles foi mais ou menos assim:

Tina Você pode me dizer o que está acontecendo com a natação?

Filho Não sei, mamãe. Só não quero fazer.

Tina Você tem medo de algo?

Filho Acho que sim. Sinto um monte de borboletas no estômago.

Tina Então vamos falar sobre essas borboletas. Você sabia que o nosso cérebro se lembra de coisas mesmo quando não sabemos que estamos lembrando?

Filho Não entendi.

Tina Tudo bem. Deixe-me explicar melhor. Você lembra que já teve uma experiência ruim com aulas de natação?

Filho Ah, sim.

Tina Você se lembra daquele lugar aonde fomos?

Filho Eles eram muito severos lá.

Tina Aqueles professores eram muito rígidos.

Filho Eles me fizeram saltar do trampolim. Empurraram minha cabeça para baixo d'água e fizeram-me prender o fôlego por um tempão.

Tina	Foi muito tempo atrás, não foi? E sabe do que mais? Acho que isso tem muito a ver com o fato de você não querer ter aulas de natação agora.
Filho	Você acha?
Tina	Sim. Sabe que muitas vezes quando fazemos coisas, sejam boas ou ruins, nosso cérebro e nosso corpo se lembram delas? Então, quando digo estádio Dodger, você sorri! Está sentindo o que acontece dentro de você agora? O que o seu cérebro e o seu corpo estão lhe dizendo? Como você se sente?
Filho	Empolgado?
Tina	Sim. Estou vendo isso em seu rosto. Você sente borboletas no estômago?
Filho	De jeito nenhum.
Tina	Quando digo aulas de natação, isso muda a forma como você se sente?
Filho	A-hã.
Tina	E as borboletas voltaram?
Filho	Sim. Não quero ir.
Tina	Mas olhe só o que acho que está acontecendo. O seu cérebro é incrível. Uma das funções importantes dele é manter você seguro. Sabe, seu cérebro está sempre conferindo tudo e dizendo: "Isto é bom" ou "Isto é ruim". Então, quando digo estádio Dodger, seu cérebro diz: "Ótimo! Vamos lá! Esse é um lugar divertido". Mas quando digo aulas de natação, seu cérebro diz: "Má ideia. Não vá!".
Filho	Exatamente.
Tina	O motivo pelo qual seu cérebro fica tão empolgado quando digo estádio Dodger é porque você teve boas experiências lá. Provavelmente, não se lembra dos detalhes de todos os jogos, mas, ainda assim, tem uma boa sensação geral sobre tudo.

Tina abordou o assunto apenas estabelecendo o conceito de que certas memórias podem nos afetar sem termos consciência de que algo veio do passado. Provavelmente, você entende por que o filho dela não queria frequentar as aulas de natação. Um dos maiores problemas era que ele não fazia ideia de *por que* estava nervoso. Ele apenas sabia que não queria ir. Mas quando Tina explicou de onde os sentimentos dele estavam vindo, ele começou a desenvolver alguma consciência que o deixou assumir o controle sobre o que estava acontecendo no cérebro dele, de modo que pode começar a recompor suas experiências e seus sentimentos.

Eles conversaram um pouco mais e, então, Tina apresentou algumas ferramentas práticas que ele poderia usar quando se sentisse nervoso com as aulas de natação – algumas das mesmas ferramentas que discutiremos com você adiante. Eis como se deu o fim da conversa.

Tina Tudo bem. Então, agora, você sabe que o motivo do seu medo é que você teve experiências ruins antes.

Filho É, acho que sim.

Tina Mas agora você está mais velho, sabe mais e pode pensar em nadar de um jeito totalmente diferente. Então, vamos fazer algumas coisas para ajudá-lo a se sentir melhor. Uma delas é começar a pensar em todas as lembranças boas e divertidas que você teve nadando. Você consegue se recordar de alguma delas?

Filho É claro que sim. Quando nadei com Henry na semana passada.

Tina Certo. Ótimo. Você também pode conversar com o seu cérebro.

Filho Hã?

Tina É sério. Na verdade, é uma das melhores coisas que você pode fazer. Você pode dizer: "Cérebro, obrigado por tentar me manter seguro e me proteger, mas não preciso mais sentir medo de fazer natação. Serão aulas novas com um novo professor, uma nova piscina e, na verdade, já sei nadar. Então, cérebro, simplesmente vou soprar as borboletas da minha barriga com umas respirações grandes e lentas assim. Vou enfocar apenas as coisas boas ao fazer natação". Parece estranho conversar assim com o seu cérebro?

Filho   Mais ou menos.

Tina   Eu sei que é engraçado e meio estranho. Mas você vê como pode funcionar? O que você poderia dizer ao seu cérebro para acalmar seu corpo e sentir-se mais seguro e melhor em relação às aulas de natação? O que você poderia dizer mentalmente?

Filho   Aquelas aulas de natação ruins ficaram no passado. Essas aulas de natação são novas e já sei nadar.

Tina   Exatamente. Como você se sente nadando de modo geral?

Filho   Ótimo.

Tina   Ótimo. Agora, vamos fazer mais uma coisa. O que você pode fazer ou dizer ao seu cérebro caso comece a se sentir nervoso quando formos para as aulas de natação? Vamos estabelecer um código para você lembrar que esses sentimentos pertencem ao passado?

Filho   Não sei. *Mate as borboletas?*

Tina   Porque as borboletas são de muito tempo atrás e você não precisa mais delas na sua barriga, certo?

Filho   Certo.

Tina   Adorei. Estou feliz por você estar rindo disso agora. Contudo, não podemos pensar em um código menos violento? Que tal *liberte as borboletas* ou *solte as borboletas*?

Filho   Eu gosto do *mate*.

Tina   Tudo bem. Então é *mate as borboletas*.

Perceba que a principal coisa que Tina fez aqui foi contar a história de onde os medos do filho vinham. Ela usou a narrativa para ajudar suas memórias implícitas a se tornarem explícitas e repletas de significado, para não agirem nele com tamanho poder oculto. Depois que as memórias implícitas dele sobre as desagradáveis aulas de natação foram trazidas à luz da consciência, ele conseguiu lidar facilmente com os medos do presente. É nessa transformação – de implícitas para explícitas – que o verdadeiro poder da memória integradora traz percepção, compreensão e até mesmo cura.

INTEGRANDO AS MEMÓRIAS IMPLÍCITAS E EXPLÍCITAS: MONTANDO O QUEBRA--CABEÇAS DA MENTE

As memórias implícitas são frequentemente positivas e funcionam em nosso favor, como quando esperamos totalmente ser amados por quem nos cerca porque sempre fomos amados. Se contamos com nossos pais para nos reconfortarem quando estamos sofrendo, como sempre fizeram isso antes, é porque uma série de memórias implícitas positivas foi armazenada dentro de nós. Mas as memórias implícitas também podem ser negativas, como quando tivemos repetidamente a experiência oposta de nossos pais ficarem irritados ou se desinteressarem por nossos momentos de aflição.

O problema com a memória implícita, especialmente com uma experiência dolorosa ou negativa, é que, quando não temos consciência dela, torna-se uma mina terrestre enterrada que pode limitar-nos de maneiras significativas e por vezes debilitantes. O cérebro se lembra de muitos acontecimentos, quer tenhamos consciência deles ou não. Então, quando temos experiências difíceis – como um tornozelo torcido ou a morte de alguém que amamos –, esses momentos dolorosos ficam embutidos em nosso cérebro e começam a nos afetar. Embora não tenhamos consciência de suas origens no passado, as memórias implícitas ainda são capazes de criar medo, fuga, tristeza e outras emoções e sensações corporais dolorosas. Isso ajuda a explicar por que crianças (assim como adultos) costumam reagir de modo intenso a situações sem terem consciência de por que estão tão perturbadas. A menos que consigam ver um sentido em suas memórias dolorosas, podem experimentar distúrbios de sono, fobias debilitantes e outros problemas.

Então, como ajudar nossos filhos quando estão sofrendo com os efeitos de experiências negativas passadas? Lançamos a luz da consciência sobre essas memórias implícitas, tornando-as explícitas, para que eles tenham consciência e lidem com elas de maneira intencional. Às vezes, os pais têm a esperança de que os filhos "simplesmente esquecerão" experiências dolorosas por que passaram, mas o que as crianças realmente precisam é que os pais lhes ensinem maneiras saudáveis de integrar memórias implícitas e explícitas, transformando até mesmo experiências dolorosas em fontes de poder e autocompreensão.

Há uma parte de nosso cérebro cuja função é fazer apenas isso: integrar nossas memórias implícitas e explícitas, para que possamos compreender mais completamente o mundo e nós mesmos. Essa parte é chamada hipocampo e pode ser considerada o "mecanismo de busca" da recuperação de memória. O hipocampo trabalha com diferentes partes do nosso cérebro para pegar todas as imagens, emoções e sensações da memória implícita e reuni-las de tal modo que possam se tornar "retratos" montados que integram a compreensão explícita de nossas experiências passadas.

Pense no hipocampo como um mestre montador de quebra-cabeças que junta as peças da memória implícita. Quando as imagens e sensações da experiência permanecem apenas na forma implícita e não são integradas pelo hipocampo, ficam isoladas umas das outras e completamente desordenadas em nosso cérebro. Em vez de termos um retrato claro e completo, um quebra-cabeça montado, nossas memórias implícitas permanecem como peças espalhadas dele. Assim, falta-nos clareza sobre nossa própria narrativa em desenvolvimento, que define explicitamente quem somos. O pior é que essas memórias apenas implícitas continuam a moldar a forma como vemos e interagimos com nossa realidade imediata. Afetam a noção de quem somos de um instante a outro – *tudo sem que sequer tenhamos consciência de que estão afetando a forma como interagimos com nosso mundo.*

É fundamental, portanto, que montemos essas peças implícitas de quebra-cabeça em uma forma explícita com o objetivo de refletir sobre o impacto delas em nossa vida. É aí que entra o hipocampo. Ao realizar a importante função de integrar memórias implícitas e explícitas, permite que nos tornemos os autores ativos de nossa história de vida. Quando Tina conversou com o filho sobre as associações temerosas dele com as aulas de natação, estava simplesmente ajudando o hipocampo dele a fazer seu trabalho. Não foi preciso muito esforço para as memórias implícitas dele se tornarem explícitas, para ele lidar com o próprio medo e encontrar sentido tanto em sua experiência dolorosa do passado quanto em como esta ainda o estava afetando no presente.

Quando não damos espaço para as crianças expressarem seus sentimentos e relembrarem o que ocorreu depois de um acontecimento avassalador, suas memórias apenas implícitas permanecem na forma desintegrada, deixando-as sem condições de ver sentido em suas experiências. Mas quando ajudamos nossos filhos a integrarem o passado com o presente, eles conseguem ver sentido no que está acontecendo dentro deles e obter controle em como pensam e se comportam. Quanto mais você promover esse tipo de integração da memória em seu filho, menos frequentes serão as respostas irracionais ao que está acontecendo no momento, pois são, na realidade, reações que sobraram do passado.

Não estamos dizendo que a integração da memória é uma panaceia que prevenirá todas as explosões e reações irracionais, mas é uma ferramenta poderosa para lidar com experiências difíceis do passado, e você gostará de saber disso na próxima vez que seu filho estiver com dificuldades por algum motivo desconhecido. Quando seu filho de 5 anos não conseguir encontrar a luzinha para completar o carrinho de Luke Skywalker e berrar descontroladamente com "aquela loja de Lego idiota", isso poderá não ter nada a ver com alguma memória implícita inspirada em George Lucas. Na verdade, antes de analisar a situação, pare e confira o básico: seu pequeno Jedi não está simplesmente com fome, raiva, sentindo-se solitário ou cansado? Se estiver, esses problemas poderão ser facilmente resolvidos. Dê-lhe uma maçã. Ouça os sentimentos de frustração dele. Passe alguns minutos ao seu lado, ajudando-o a localizar a peça perdida. Coloque-o na cama mais cedo, para ele recuperar o sono e lidar melhor consigo mesmo no dia seguinte. Normalmente, as crianças fazem o melhor que podem e apenas precisam que nós atendamos a suas necessidades básicas. Conforme você aprender mais sobre o cérebro e pensar em todas as informações que estamos oferecendo aqui, não esqueça as coisas simples e óbvias, aquelas que você já sabe. O bom senso pode levar você muito longe.

No entanto, se identificar que algo mais grave está acontecendo, é uma boa ideia pensar nas experiências do passado que podem estar afetando a situação presente. Talvez você nem sempre consiga relacionar a reatividade do seu filho com um acontecimento específico do passado, então não force uma conexão que não existe. Mas se sentir que um acontecimento prévio pode estar influenciando as ações do seu filho, veja a seguir algumas maneiras práticas para muni-lo de ferramentas que o ajudarão a integrar suas memórias implícitas e explícitas e obter mais controle sobre a forma como responde às circunstâncias do presente.

O que você pode fazer: ajudando seu filho a integrar as memórias implícitas e explícitas

ESTRATÉGIA DO CÉREBRO POR INTEIRO Nº 6:
USAR O CONTROLE REMOTO DA MENTE: REPRODUZINDO LEMBRANÇAS

Mais uma vez, uma das maneiras mais efetivas de promover a integração é contar histórias. No capítulo 2, falamos sobre a importância da narrativa na integração dos hemisférios esquerdo e direito. Contar histórias é também uma atividade poderosa para integrar as memórias implícitas e explícitas. Mas, às vezes, se uma criança está sentindo os efeitos de uma experiência especialmente dolorosa do passado, pode não estar pronta para se lembrar de toda a experiência. Nesse caso, você pode apresentar-lhe seu DVD player interno, que vem com um controle remoto que lhe permite passar novamente uma experiência na mente, podendo pausá-lo, voltá-lo e avançá-lo. Assim como podemos avançar as partes assustadoras de um filme ou voltar para ver a cena preferida mais uma vez, o controle remoto da mente é uma ferramenta que dá a seu filho algum controle enquanto ele revisita uma memória desagradável. Eis como um pai usou essa técnica.

O filho de 10 anos de David, Eli, surpreendeu-o dizendo que não queria participar da corrida de carrinhos de madeira com sua turma de Lobinhos. David ficou surpreso porque um dos pontos altos dos invernos de Eli era trabalhar com o pai enquanto ambos esculpiam, moldavam e pintavam um bloco de madeira até ele se transformar em um carro esportivo. Depois de várias conversas, David se deu conta de que Eli não estava disposto a chegar nem perto das ferramentas de trabalho com madeira, especialmente as que tinham lâminas. Daí foi relativamente fácil fazer a conexão entre a nova fobia de Eli e um episódio ocorrido meses antes.

No verão anterior, Eli havia levado seu canivete ao parque sem a permissão dos pais. Ele e o amigo Ryan se divertiram cortando e talhando com o canivete, até ocorrer um acidente. Enquanto cortava uma raiz, Ryan enfiou a lâmina na perna, que sangrou muito, e precisou ser levado de ambulância até o pronto-socorro. Alguns pontos depois, ele estava ótimo e sequer pareceu traumatizado com o acontecimento. Contudo, Eli ficou preocupado enquanto esperava em casa, imaginando se Ryan estava bem. Por ser compassivo e responsável, Eli não conseguiu superar o fato de que havia sido o canivete dele, levado ao parque sem permissão, que machucara o amigo e causara tantos problemas. Os pais de ambos os meninos os reuniram naquela noite e deixaram que contassem o que havia acontecido, e ambos aparentemente seguiram em frente. Só que agora, meses mais tarde, a memória estava claramente trabalhando em Eli, sem seu conhecimento. Ele não tinha consciência de que estava com medo das ferramentas de marcenaria por causa do que havia ocorrido com Ryan e o canivete.

David decidiu ajudar Eli a pegar aquela memória implícita e torná-la explícita. Chamou o filho na garagem, onde havia exposto as ferramentas. Assim que entrou na garagem e viu a serra elétrica, Eli arregalou os olhos e o pai viu o medo em seu rosto. Ele tentou transparecer tranquilidade ao dizer:

— Papai, não quero participar da corrida de carros de madeira este ano.

David respondeu com sua voz mais carinhosa:

— Eu sei, filho, e também acho que sei o porquê.

Ele conversou com Eli sobre a conexão entre a corrida de carros de madeira e o acidente com o canivete, mas Eli resistiu à explicação. Ele disse:

— Não, não é isso. Só estou muito ocupado com a escola.

Mas David o pressionou.

— Sei que você está ocupado. Mas acho que há mais nessa história do que isso. Vamos falar só mais uma vez sobre o que aconteceu naquele dia no parque.

O rosto de Eli demonstrou medo.

— Papai, foi há muito tempo. Não precisamos conversar sobre isso.

David o tranquilizou mais uma vez, então ensinou a ele uma técnica poderosa para lidar com memórias dolorosas. Ele disse ao filho:

— Vou contar a história com você, exatamente como me contou no verão passado. Quero que você imagine a história na sua cabeça, como se estivesse assistindo a um DVD dentro do seu cérebro.

Eli interrompeu:

— Papai, eu *realmente* não quero fazer isso.

— Eu sei que não – David respondeu. – Mas é aí que entra a parte boa. Quero que você imagine que está segurando um controle remoto, exatamente como o que usamos quando vemos filmes em casa. Quando eu chegar a uma parte da história em que você não quer pensar, basta apertar o pause. Quando você disser "pause", eu paro. Daí podemos avançar essa cena. Podemos fazer isso?

Eli respondeu lentamente:

— Tá bem – do jeito que crianças fazem quando respondem a um pedido que acham maluco.

CAPÍTULO 4

David continuou contando a história. Ele falou sobre a chegada de Eli ao parque, sobre os cortes nas cascas das árvores com Ryan e assim por diante. Quando ele disse:

— Daí Ryan pegou uma raiz e começou a cortá-la — Eli interrompeu.

— Pause — ele disse baixinho, mas com muita firmeza.

— Está bem — David consentiu. — Agora vamos avançar até o hospital.

— Até um pouco depois.

— Até Ryan voltar para casa?

— Um pouco depois.

— Até quando ele veio a nossa casa naquela noite?

— Está bem.

David, então, narrou o reencontro alegre dos amigos. A forma como eles se cumprimentaram e depois desapareceram para jogar videogame. David reforçou que Ryan e seus pais enfatizaram que não ficaram chateados com Eli e que consideravam o episódio um acidente.

David olhou para o filho.

— Esta é a história, certo?

— É.

— Exceto aquela parte que deixamos de fora.

— Eu sei.

— Vamos retroceder, voltar para quando pausamos e tentar entender o que aconteceu. Lembre-se de que a história tem um final feliz.

— Está bem.

David conduziu Eli através das partes mais dolorosas da narrativa e, às vezes, Eli usou o botão de pause novamente. Afinal, eles conseguiram chegar ao fim da história e, ao fazer isso, Eli começou a liberar os medos associados a lâminas e cortes. Quando voltaram ao final feliz, David viu os músculos de Eli relaxando e a tensão na voz dele diminuiu dramaticamente. Durante as semanas seguintes, eles tiveram de retornar à história e contá-la

ESTRATÉGIA 6
EM VEZ DE AVANÇAR E ESQUECER

> QUER CORTAR A MADEIRA DESTA VEZ?
>
> VOU SÓ OLHAR.
>
> VOCÊ NÃO TEM MEDO DE FACAS, TEM?
>
> NÃO, SÓ NÃO ESTOU A FIM DE FAZER ISSO AGORA.
>
> AQUILO FOI HÁ MUITO TEMPO. NÃO DEVERIA ESTAR INCOMODANDO VOCÊ. SIMPLESMENTE TENTE SUPERAR.

TENTE VOLTAR E LEMBRAR

> QUER CORTAR A MADEIRA DESTA VEZ?
>
> VOU SÓ OLHAR.
>
> VOCÊ ESTÁ PENSANDO NO QUE ACONTECEU NO PARQUE?
>
> NÃO, SÓ NÃO ESTOU A FIM DE FAZER ISSO AGORA.
>
> PODE SER QUE FALAR SOBRE O ASSUNTO AJUDE.

> FOI HÁ MUITO TEMPO.
>
> EU SEI, FILHO, MAS PARECE QUE AINDA ESTÁ INCOMODANDO VOCÊ. ACHO QUE FALAR PODE AJUDAR DE VERDADE. APENAS ME DIGA DO QUE VOCÊ SE LEMBRA.
>
> BOM, A GENTE ESTAVA...

novamente. Eli ainda se sentia um pouco nervoso perto das lâminas, mas, com a ajuda do pai, seu hipocampo integrou as memórias implícitas em sua consciência explícita. Como resultado, conseguiu lidar com questões que haviam ressurgido. Ele e o pai construíram, então, um dos melhores carrinhos de madeira e batizaram-no de Fator Medo, escrevendo esse nome dos dois lados com letras assustadoras estilo Halloween.

Lembre-se de que o objetivo é ajudar nossos filhos a pegarem as experiências que estejam perturbando suas vidas sem que saibam disso – as peças de quebra-cabeça espalhadas em suas mentes – e torná-las explícitas, para que o quadro completo do quebra-cabeça possa ser visto com clareza e significado. Ao apresentá-los ao controle remoto da mente, que controla o DVD player interno deles, você torna o processo de contar histórias muito menos assustador, pois lhes oferece certo controle sobre aquilo com que lidarão, para que possam interagir com a questão no próprio ritmo. Dessa forma, poderão olhar para determinada experiência que os assustava (irritava ou frustrava) sem ter imediatamente de revivê-la cena por cena.

ESTRATÉGIA DO CÉREBRO POR INTEIRO Nº 7:

LEMBRAR PARA LEMBRAR: TORNANDO A RECORDAÇÃO PARTE DA VIDA DIÁRIA DA FAMÍLIA

O ato de lembrar ocorre naturalmente para a maioria das pessoas. Mas a memória é como muitas funções do cérebro: quanto mais a exercitamos, mais forte se torna. Isso significa que quando fazemos nossos filhos se lembrarem dos fatos – fazendo-os contar e recontar suas próprias histórias –, melhoramos a capacidade de eles integrarem memórias implícitas e explícitas.

Assim, nossa segunda sugestão é simplesmente que você *se lembre de lembrar*. Durante suas diversas atividades, ajude seus filhos a falarem sobre suas experiências, para que possam integrar suas memórias implícitas e explícitas. Isso é especialmente importante quando se trata dos momentos mais importantes e valiosos da vida deles. Quanto mais você os ajuda a trazer aqueles momentos dignos de nota para a memória explícita – como experiências familiares, amizades importantes ou ritos de passagem –, mais claras e influentes serão essas experiências.

Há muitas maneiras práticas de encorajar seus filhos a se lembrarem. O mais natural é fazer perguntas que os façam recordar os acontecimentos. Com crianças muito pequenas, seja direto e volte a atenção delas aos detalhes do dia. "Você foi à casa da Carrie hoje? O que aconteceu quando chegamos lá?" Simplesmente contar mais uma vez fatos básicos como esses ajuda a desenvolver a memória dos seus filhos e prepara-os para interagir com memórias mais significativas ao longo do tempo.

Conforme as crianças ficam mais velhas, podemos ser mais estratégicos em relação àquilo que enfocamos. Pergunte sobre um problema que elas tenham tido com um amigo ou professor, uma festa a que tenham ido ou os detalhes sobre o ensaio da peça da escola na noite anterior. Incentive-as a fazer um diário. Estudos demonstraram claramente que o simples ato de recordar e expressar um acontecimento por meio de um diário pode melhorar as funções imunológicas e cardíacas, bem como o bem-estar geral. Mais precisamente aqui, porém, fazer um diário dá às crianças a chance de contar suas histórias, o que as ajuda no processo de produzir significados e melhora a capacidade delas de compreender as experiências passadas e presentes.

CAPÍTULO 4

Quando falamos com pais sobre integração de memória e os estimulamos a ajudarem seus filhos a falar sobre suas experiências, algumas perguntas surgem inevitavelmente: "E se eles não quiserem falar?". "Se eu perguntar sobre a aula de arte e ele disser apenas que estava legal?" Se você tem problemas para descobrir detalhes importantes sobre a vida do seu filho, seja criativo. Um truque para crianças mais novas em idade escolar é fazer um jogo de adivinhação ao pegá-las na escola. Diga: "Conte duas coisas que aconteceram hoje e uma que não aconteceu. Daí, vou adivinhar quais aconteceram mesmo". A brincadeira pode não ser desafiadora para você – principalmente quando as escolhas delas incluírem "A Srta. Derrick nos leu uma história", "Nico e eu espionamos as meninas" e "O Capitão Gancho me capturou e me deu de comida para o crocodilo" –, mas pode rapidamente se tornar um jogo divertido pelo qual as crianças esperam ansiosamente. Elas não abrirão a vida para você, a não ser que ouça pelo menos duas de suas memórias escolares todos os dias, contudo poderá ajudá-las a se acostumarem a pensar sobre o que aconteceu e refletir sobre os acontecimentos do dia a dia.

Outra mãe havia se divorciado recentemente queria se certificar de que ficaria emocionalmente conectada com as filhas enquanto atravessavam aquele período difícil. Então, todas as noites, enquanto jantavam juntas, ela começou o ritual de perguntar: "Falem sobre o dia de vocês. Contem um ponto alto, um ponto baixo e algo legal que fizeram por alguém". Mais uma vez, atividades e perguntas como essas não apenas estimulam a recordar, mas também fazem as crianças pensarem mais profundamente sobre as próprias emoções e ações, sobre compartilhar seus dias com alguém e sobre como podem ajudar os outros.

Para acontecimentos específicos sobre os quais você deseja que seus filhos pensem mais, vejam juntos álbuns de fotos e assistam a vídeos antigos. Uma ótima maneira de ajudá-los

ESTRATÉGIA 7
EM VEZ DE "COMO FOI O SEU DIA?"...

> **Mãe:** Como foi o seu dia?
> **Criança:** Bom.

TENTE "LEMBRAR PARA LEMBRAR"

> **Mãe:** Qual foi a melhor parte do seu dia?
> **Criança:** Quando brinquei com a Jennie e nós pintamos.

> **Mãe:** Eu sei que você adora pintar. Qual foi a parte não tão boa?
> **Criança:** Quando o Diego me mordeu.
> **Mãe:** Ai. O que aconteceu depois que ele mordeu você?
> **Criança:** Minha professora conversou com ele e fui brincar de balanço com a Jennie.

a se focarem mais profundamente é desenhar e ilustrar um "livro de memória" com eles. Por exemplo, quando sua filha volta do primeiro acampamento em que dormiu fora de casa, você pode reunir as cartas que ela enviou, objetos de lembranças e as fotos que ela tirou e criar um livro de memórias com ela. Ela pode escrever histórias e fazer anotações nas margens: "Esta era a minha cabana" ou "Isto aconteceu depois da guerra de creme de barbear". Criar um livro como esse estimula a memória da sua filha sobre alguns detalhes que ela de outra forma poderia perder nos meses e anos seguintes, ao mesmo tempo que lhe dá a chance de compartilhar com você mais sobre esse importante acontecimento da vida dela.

Simplesmente ao fazer perguntas e estimular a recordação, você pode auxiliar seus filhos a lembrar e compreender acontecimentos importantes do passado, o que os ajudará a compreender melhor o que está acontecendo com eles no presente.

Crianças com cérebro por inteiro: ensine seus filhos sobre tornar explícitas as memórias implícitas

Demos vários exemplos de como conversar com seus filhos sobre memórias implícitas e explícitas. Se perceber que estão tendo dificuldades como consequência de uma experiência passada, uma das melhores coisas que você pode fazer é conversar com eles e ajudá-los a contar novamente a história dessa experiência. Mas também pode ser útil explicar o que está acontecendo no cérebro quando uma experiência passada começa a controlar comportamentos e sentimentos presentes. Você pode explicar assim:

CRIANÇAS COM CÉREBRO POR INTEIRO:
INSTRUA SEUS FILHOS A TORNAREM EXPLÍCITAS AS MEMÓRIAS IMPLÍCITAS
JUNTANDO AS PEÇAS DO QUEBRA-CABEÇAS DA MEMÓRIA

QUANDO AS COISAS ACONTECEM, SEU CÉREBRO SE LEMBRA DELAS, MAS NEM SEMPRE COMO UMA MEMÓRIA COMPLETA E ORGANIZADA. EM VEZ DISSO, É COMO SE HOUVESSE PEQUENAS PEÇAS DE QUEBRA-CABEÇA DO QUE ACONTECEU FLUTUANDO POR SUA CABEÇA.

O QUE ACONTECEU FOI...

A FORMA COMO VOCÊ AJUDA SEU CÉREBRO A JUNTAR AS PEÇAS É CONTAR A HISTÓRIA DO QUE ACONTECEU.

CONTAR A HISTÓRIA É ÓTIMO QUANDO FAZEMOS ALGO DIVERTIDO, COMO DAR UMA FESTA DE ANIVERSÁRIO. SIMPLESMENTE AO FALARMOS SOBRE ELA, CONSEGUIMOS NOS LEMBRAR DO QUANTO NOS DIVERTIMOS.

CONTUDO, ÀS VEZES ALGO RUIM ACONTECE E, TALVEZ, NÃO QUEIRAMOS LEMBRAR DISSO. O PROBLEMA É QUE, QUANDO NÃO PENSAMOS NO ASSUNTO, AQUELAS PEÇAS DE QUEBRA-CABEÇA NUNCA SÃO MONTADAS E PODEMOS NOS SENTIR ASSUSTADOS, TRISTES OU COM RAIVA SEM SABER O PORQUÊ.

CAPÍTULO 4

POR EXEMPLO:

Foi o que aconteceu com Mia. Ela não sabia por que tinha medo de cachorros, então, um dia, o pai dela lhe contou uma história de que ela havia esquecido, sobre a vez em que um cachorro latiu para ela.

Ela viu que seus medos tinham origem no que havia acontecido aquela vez, muito tempo atrás, não por causa dos cachorros que ela conhecia agora.

Agora ela gosta de brincar com os cachorros amistosos da vizinhança.

Quando contamos a história do que aconteceu, montamos as peças do quebra-cabeça e nos sentimos menos assustados, tristes ou bravos. Ficamos mais corajosos, felizes e calmos.

Integrando a nós mesmos: passando nossas próprias memórias de implícitas para explícitas

Não é apenas na cabeça das crianças que a memória age sem avisar. Isso também acontece, é claro, com os pais. Memórias implícitas influenciam nossos comportamentos, emoções, percepções e mesmo sensações físicas e podemos ignorar completamente a influência do passado sobre nós no momento presente. Dan viveu isso ao se tornar pai:

> Quando meu filho nasceu, ficava abalado quando ele chorava inconsolavelmente. Sei que choro de bebê é difícil para qualquer um escutar, mas simplesmente não conseguia suportar. Eu era tomado por pânico e ficava cheio de medo e terror. Analisei diversas teorias em relação à minha reação intensa e aparentemente injustificável, mas nenhuma delas parecia se aplicar a mim.
>
> Então, certo dia, meu filho começou a chorar e uma imagem me veio à mente: a de um menininho em cima de uma mesa de exame, berrando, com uma expressão de terror no rosto franzido e enrubescido. Estava ao lado dele e minha função, como jovem estagiário em Pediatria no centro médico da Universidade da Califórnia, era tirar sangue para descobrirmos por que ele tinha uma febre tão alta. Meu colega médico e eu precisamos reviver esse horror com cada criança, um de nós segurando a seringa e o outro, ela aos berros.
>
> Não pensava em meu estágio em Pediatria fazia anos. Minha lembrança era de ter tido um ano bom de modo geral e de ter ficado satisfeito quando acabou. Mas os choros do meu filho de 6 meses de idade no meio da noite ativaram o *flashback* para aquela cena e, ao longo dos dias que se seguiram, comecei a compreender a conexão. Pensei muito naquelas memórias e conversei com alguns amigos e colegas sobre minha experiência. Começou a ficar claro para mim que esse trauma havia permanecido implícito e estava surgindo explicitamente apenas agora. Eu me dei conta de que havia completado meu estágio de um ano e passado para a fase seguinte da vida, sem jamais ter refletido conscientemente sobre

minhas experiências dolorosas. Nunca as processei de uma maneira que as tornasse prontamente disponíveis para uma recuperação explícita mais tarde.

Anos depois, então, como jovem pai, passei por uma dolorosa autorreflexão que me permitiu ver isso como um problema não resolvido em mim mesmo e consegui ouvir os choros do meu filho como o que eram, sem toda a bagagem do passado.

Memórias não examinadas (ou desintegradas) provocam todos os tipos de reações em qualquer adulto que tente viver uma vida saudável e relacional. Mas, para os pais, essas memórias ocultas são especialmente perigosas por dois motivos principais. Em primeiro lugar, mesmo quando são muito pequenos, nossos filhos conseguem captar nossos sentimentos de medo, aflição ou inadequação, mesmo sem nos darmos conta do que estamos sentindo. Quando um pai se sente incomodado, é muito difícil para a criança se manter calma e feliz. Em segundo lugar, memórias implícitas podem provocar respostas que nos fazem agir de formas que não queremos. Velhos sentimentos como sermos deixados de fora, abandonados ou diminuídos por outras pessoas ou nossos próprios pais podem nos impedir de sermos maduros, amorosos e respeitosos quando interagimos com nossos filhos.

Então, da próxima vez que reagir de maneira um pouco exagerada quando se incomodar com seus filhos, pergunte a si mesmo: "Esta minha reação faz sentido?".

A resposta pode ser: "Sim. O bebê está berrando, meu filho de 3 anos acabou de pintar o forno de azul e tudo o que meu filho de 8 anos está fazendo em resposta a isso é aumentar o som da TV. Faz total sentido que eu tenha vontade de atirar algum objeto pela janela!".

Outras vezes, porém, a resposta pode ser: "Não, esses sentimentos não fazem sentido. Não há motivo para eu levar para o lado pessoal o fato de que minha filha quer que papai leia para ela esta noite e não eu. Não preciso ficar chateada". Com base no que você sabe agora sobre memória implícita, uma percepção dessas é uma oportunidade de analisar tudo com mais profundidade. Se você está reagindo de uma maneira que não consegue explicar ou justificar, provavelmente chegou o momento de se perguntar: "O que está acontecendo aqui? Isso está me lembrando algo? De onde, afinal, estão vindo meus sentimentos e comportamentos?" (vamos falar mais sobre esse processo na seção "Integrando a nós mesmos", do capítulo 6. Além disso, recomendamos o livro de Dan, *Parenting from the inside out* (*Criando filhos de dentro para fora*), escrito com Mary Hartzell, como um belo ponto para começar essa jornada exploratória).

Ao integrarmos nossas memórias implícitas e explícitas e lançar a luz da consciência sobre momentos difíceis de nosso passado, podemos ter uma percepção de como nosso passado pode impactar o relacionamento com nossos filhos. Podemos nos manter alertas em relação a como nossos problemas estão afetando nosso próprio ânimo, bem como a forma como nossos filhos se sentem. Quando nos sentimos incompetentes, frustrados ou excessivamente ativos, podemos olhar para o que está por trás desses sentimentos e analisar se estão conectados com algo do nosso passado. Então, podemos trazer nossas experiências anteriores para o presente e tecê-las na história mais ampla de nossa vida. Quando fazemos isso, podemos ser livres para sermos o tipo de pais que queremos ser. Podemos dar um sentido a nossas próprias vidas, o que ajudará nossos filhos a fazerem o mesmo com a vida deles.

5:
ESTADOS UNIDOS DE MIM

INTEGRANDO AS MUITAS PARTES DE MIM MESMO

"Tem algo que Josh *não consegue fazer?*"

Esta era a pergunta que outros pais faziam a Amber sobre seu brilhante e talentoso filho de 11 anos. Josh parecia sair-se extremamente bem em tudo – escola, esportes, música e atividades sociais – e os amigos dele e seus pais se maravilhavam com sua capacidade.

No entanto, Amber sabia que, não importava quanto sucesso obtivesse, Josh tinha sérias dúvidas sobre sua autoestima. Como resultado, ele sentia uma necessidade opressora de ser perfeito em tudo o que experimentasse. Esse perfeccionismo o fez acreditar que, apesar de seus muitos sucessos, nada do que fazia era bom o bastante. Ele se torturava emocionalmente sempre que cometia um erro, quer fosse errando uma tacada em um jogo de beisebol, quer fosse esquecendo a lancheira na escola.

No fim, Amber levou Josh a uma consulta com Tina, que logo soube que os pais dele haviam se divorciado quando ele era bebê. O pai havia desaparecido, deixando-o para ser criado pela mãe. Com o passar do tempo, ficou claro que Josh se culpava pela ausência do pai, acreditando que, de certa forma, havia feito o pai ir embora, então, agora, fazia tudo o que estava a seu alcance para evitar erros de qualquer tipo. A memória implícita de Josh havia igualado não ser perfeito com abandono. Como resultado, os pensamentos que passavam diariamente pela cabeça dele – "devia ter me saído melhor", "sou muito burro", "por que fiz aquilo?" – estavam-no impedindo de ser um menino de 11 anos feliz e despreocupado.

Tina começou a trabalhar com Josh para ele prestar atenção a esses pensamentos em sua mente. Alguns eram alimentados por memórias implícitas profundamente embutidas que exigiram uma abordagem aprofundada para cura. Mas ela também o ajudou a compreender o poder da própria mente e como, ao direcionar sua atenção, ele poderia controlar e, em grande medida, realmente *escolher* como se sentir e reagir a diferentes situações. Para Josh, o grande progresso ocorreu quando Tina apresentou a ele a ideia de visão mental.

VISÃO MENTAL E A RODA DA CONSCIÊNCIA

Dan cunhou o termo "visão mental" e, conforme explica no livro de mesmo nome, o significado mais simples da expressão se resume a duas coisas: compreender nossa própria mente e a do outro. Conectar-se com os outros será o foco do capítulo 6. Por ora, porém, vamos enfocar o primeiro aspecto da abordagem da visão mental: compreender nossa própria mente. Afinal, é aí que a saúde mental e o bem-estar começam, obtendo clareza e percepção sobre nossa própria mente individual. Essa foi a ideia que Tina começou a ensinar a Josh. Ela apresentou a ele um modelo que Dan criou, a roda da consciência.

CAPÍTULO 5

Como você verá no diagrama a seguir, o conceito básico é que a nossa mente pode ser vista como uma roda de bicicleta, com um eixo no centro e raios convergindo em direção ao aro externo. O aro representa qualquer coisa em que prestamos atenção ou de que nos tornamos conscientes: nossos pensamentos e sentimentos, sonhos e desejos, memórias, percepções do mundo externo e sensações de nosso corpo.

O eixo é o lugar interior da mente a partir do qual nos tornamos conscientes de tudo o que está acontecendo ao nosso redor e dentro de nós. É basicamente nosso córtex pré-frontal, que você lembrará que ajuda a integrar todo o cérebro. O eixo representa parte do que é chamado de cérebro executivo, porque é aí que tomamos nossas melhores decisões. É também a parte do cérebro que permite a nossa conexão profunda com outras pessoas e com nós mesmos. Nossa consciência reside no eixo e, dali, podemos focar os vários pontos do aro de nossa roda.

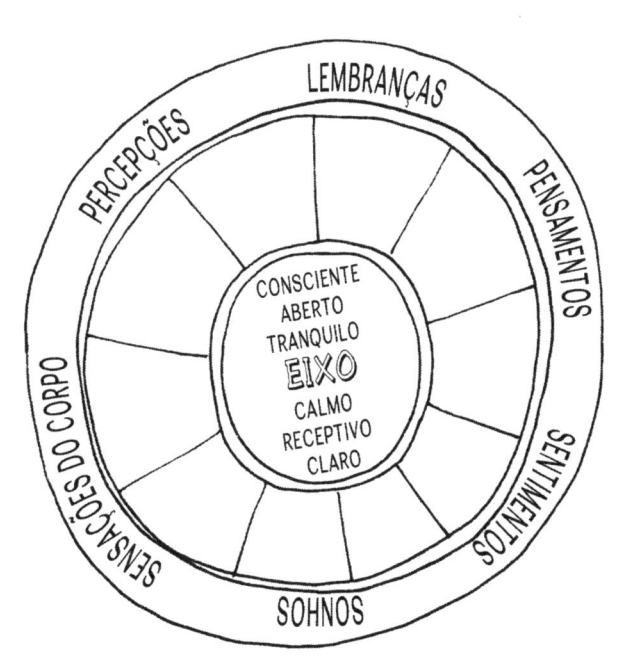

O modelo da roda da consciência foi imediatamente poderoso para Josh, uma vez que permitiu que ele reconhecesse que os diferentes pensamentos e sentimentos que estavam lhe trazendo tantos problemas eram simplesmente *aspectos* diferentes dele mesmo. Eram apenas alguns pontos específicos do aro de sua roda e ele não precisava lhes dar muita atenção (veja a seguir o diagrama da roda da consciência pessoal de Josh). Tina o ajudou a ver que cada conjunto de pontos do aro em que ele focava determinava seu estado mental a qualquer momento. Em outras palavras, o estado mental ansioso e temeroso dele surgia porque ele focava um conjunto de pontos do aro que produziam ansiedade – como o medo que ele tinha de tirar uma nota B no dever de casa ou suas preocupações sobre esquecer as notas durante o solo na banda. Mesmo as sensações físicas que ele tinha, o aperto ansioso no estômago e a tensão nos ombros, eram pontos do aro que o mantinham focado em seu medo de fracassar.

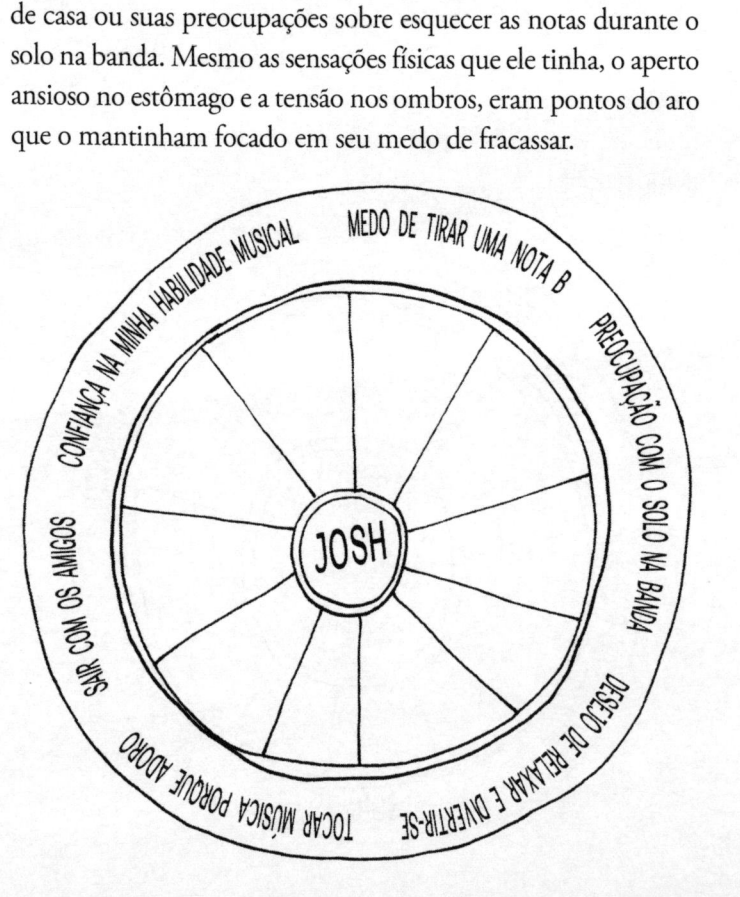

CAPÍTULO 5

A visão mental permitiu-lhe ver o que estava acontecendo em sua própria mente e compreender que era *ele* quem estava dedicando tanto tempo e energia a esses pontos do aro e, se quisesse, poderia voltar ao eixo, onde poderia ver o quadro global e enfocar outros pontos do aro. Esses medos e preocupações definitivamente faziam parte dele, mas não representavam a sua totalidade. Em vez disso, a partir do eixo dele no centro da roda, que era a parte ponderada e objetiva de si mesmo, ele poderia *escolher* quanta atenção lhes dar, assim como quais outros pontos do aro queria focar.

Como Tina explicou, ao dedicar atenção a esses poucos pontos temerosos do aro, Josh excluiu muitos outros pontos que poderia ter integrado em sua perspectiva do mundo. Isso o fez dedicar todo o seu tempo ao trabalho, estudos, ensaios e preocupações, quando poderia estar prestando atenção a outros pontos do aro, mais produtivos, como sua confiança na própria habilidade musical, a crença de que era inteligente e o desejo de simplesmente relaxar e se divertir de vez em quando. Tina explicou a Josh a importância de integrar as partes diferentes de si mesmo e os aspectos exclusivos de quem ele era, para que poucos dos outros não dominassem completamente todos os demais. Ela disse a ele que não havia problema em prestar atenção aos pontos do aro que o faziam realizar coisas e ser bem-sucedido. Aquelas eram partes boas e mesmo saudáveis dele. Mas esses pontos precisavam ser integrados com os demais, para ele não deixar de lado outras partes de si, que também eram boas e saudáveis.

Assim, Josh começou a trabalhar com o objetivo de direcionar seu foco para pontos que não conduziam necessariamente ao perfeccionismo. Ele começou a prestar atenção especial à parte de si mesmo que adorava simplesmente ficar com os amigos depois da escola, mesmo que isso significasse não se dedicar tanto aos estudos. Ele se concentrou na crença recém-formada de que não precisava ser o artilheiro em todos os jogos e convenceu-se do quanto se sentia bem quando tocava saxofone apenas por prazer, sem se preocupar em acertar todas as notas perfeitamente. Ele não precisava parar de realizar certas atividades e ser bem-sucedido. Ele só precisava colocar esses pontos do aro em contexto com os demais, para integrá-los de forma que fossem apenas algumas das diversas partes de um todo muito maior, um Josh muito maior do que o que criticava a si mesmo por cada erro.

É claro que aprender sobre visão mental e a roda da consciência não diminuiu de imediato a tendência de Josh ao perfeccionismo. Contudo, ajudou-o a começar a aceitar que não precisava sentir-se infeliz. Ele percebeu que podia fazer escolhas para melhorar circunstâncias difíceis ao tomar decisões que, aos poucos, lhe permitiram assumir o controle de como vivia e reagia a diferentes situações (ele e Tina riram juntos, mas só quando ele começou a se sentir frustrado consigo mesmo por não conseguir ser perfeito em se preocupar menos com ser perfeito).

PRESO NO ARO: DISTINGUINDO ENTRE "ESTOU" E "SOU"

O sofrimento de Josh era o resultado de estar "preso no aro" da roda da consciência. Em vez de perceber o mundo a partir do eixo e integrar seus muitos pontos do aro, ele direcionava toda a atenção para apenas alguns poucos pontos específicos do aro que criavam um estado mental ansioso e crítico. Como resultado disso, ele perdeu o contato com muitas das outras partes do aro, que poderiam ajudá-lo a vivenciar um estado mental mais tranquilo e tolerante. É isso que acontece quando as crianças não trabalham com uma roda da consciência integrada. Assim como os adultos, podem ficar presas em determinados pontos do aro, em um ou alguns aspectos específicos de suas existências, o que frequentemente as leva a experimentar rigidez ou caos.

Isso não as faz diferenciar "estou" de "sou". Quando crianças experimentam um estado mental em particular, como o sentimento de frustração ou solidão, podem ficar tentadas a se definirem com base nessa experiência temporária, em vez de compreender que aquilo é simplesmente como estão se sentindo naquele momento. Em vez de dizerem "estou solitária" ou "estou me sentindo triste agora", dizem "sou solitária" ou "sou triste". O perigo é que esse estado mental temporário possa ser percebido como parte permanente do *self* delas. O *estado* passa a ser visto como uma *característica* que define quem elas são.

Imagine, por exemplo, uma menina de 9 anos de idade que esteja tendo dificuldades com o dever de casa, muito embora a escola costume ser algo tranquilo para ela. A menos que integre seus sentimentos de frustração e inadequação com as outras partes de si mesma – percebendo que uma emoção é apenas uma parte do todo de quem ela é –, ela pode começar a ver esse estado momentâneo como um traço ou característica mais permanente de sua personalidade. Ela pode dizer algo como: "Sou muito burra. O dever de casa é difícil demais para mim. Nunca vou conseguir fazê-lo direito".

Contudo, se seus pais a ajudarem a integrar as muitas partes de si mesma, reconhecendo os diversos pontos do aro de sua roda, ela poderá evitar se identificar apenas com esse sentimento em particular naquele dado momento. Poderá desenvolver a visão mental para se dar conta de que está frustrada com o fato de estar tendo dificuldade naquele momento, mas isso não significa que seja burra ou que sempre terá problemas. Do eixo de sua mente, ela poderá notar diversos pontos do aro e perceber que, embora esteja com dificuldades no momento, ela demonstrou no passado que normalmente consegue lidar com o dever de casa sem problemas. Ela poderá até conversar consigo mesma de forma saudável, dizendo: "Detesto este dever de casa! Está me deixando maluca! Mas sei que sou inteligente. Contudo, esta tarefa é muito difícil". A simples atitude de reconhecer diferentes pontos ao longo do aro pode levá-la muito longe ao recuperar o controle e mudar seus sentimentos negativos. Ela poderá ainda *se sentir* burra, mas com a ajuda dos pais e um pouco de prática, conseguirá evitar enxergar esse estado temporário como uma característica permanente e definitiva.

Esta é uma das melhores coisas que a roda da consciência faz: ensina às crianças que elas podem fazer escolhas em relação ao que focar e onde depositar a atenção. Ela lhes dá uma ferramenta que lhes permite integrar partes diferentes de si mesmas, de modo que não se tornam reféns de uma constelação negativa de sentimentos ou pensamentos clamando por sua atenção. Quando crianças (e adultos, aliás) conseguem desenvolver esse tipo de visão mental, fortalecem-se para fazer escolhas que lhes permitem lidar com suas experiências, bem como em relação a como reagir ao próprio mundo. Com o passar do tempo, com a prática, aprendem a direcionar a atenção de maneiras mais úteis a si mesmas e a todos ao redor, mesmo durante momentos difíceis.

O PODER DA ATENÇÃO FOCADA

Para compreender por que a visão mental oferece escolhas tão fortalecedoras, é útil entender o que acontece no cérebro quando uma pessoa se concentra em um conjunto específico de pontos do aro. Como já falamos, o cérebro muda fisicamente em resposta a novas experiências. Com vontade e esforço, podemos adquirir novas habilidades mentais. Além disso, quando direcionamos a atenção de uma nova maneira estamos, na verdade, criando uma nova experiência que pode modificar tanto a atividade quanto, no final, a estrutura do cérebro em si.

Eis como isso funciona. Quando vivemos uma nova experiência ou nos concentramos em algo – digamos, em como nos sentimos ou em um objetivo que desejamos realizar –, isso ativa os disparos neurais. Em outras palavras, os neurônios (nossas células cerebrais) entram em ação. Esse disparo neural ativa a produção de proteínas que permitem que novas conexões sejam feitas entre os neurônios ativados. Lembre-se de que neurônios que disparam juntos se ligam juntos. Todo esse processo – da ativação neural ao crescimento neural e as conexões fortalecidas – é a *neuroplasticidade*. Basicamente, isso significa que o cérebro é plástico, ou seja, modifica-se com base no que vivenciamos e no que focamos nossa atenção. Por sua vez, essas novas conexões neurais, criadas quando prestamos atenção em algo, alteram a forma como reagimos e interagimos com o mundo. É assim que a prática pode se tornar uma habilidade e um estado pode se tornar uma característica para o bem ou para o mal.

Há muitas evidências científicas demonstrando que a atenção focada leva à remodelação do cérebro. Em animais recompensados por perceber o som (para caçar ou evitar ser caçado, por exemplo), encontramos centros auditivos muito maiores. Em animais recompensados por uma visão precisa, as áreas visuais são maiores. Exames cerebrais de violinistas fornecem mais evidências, mostrando crescimento e expansão drásticos nas regiões do córtex que representam a mão esquerda, que precisa dedilhar as cordas com precisão, frequentemente em alta velocidade. Outros estudos demonstraram que o hipocampo, que é vital para a memória espacial, é maior em taxistas. A questão é que a arquitetura física do cérebro muda de acordo com aquilo a que direcionamos nossa atenção e o que praticamos.

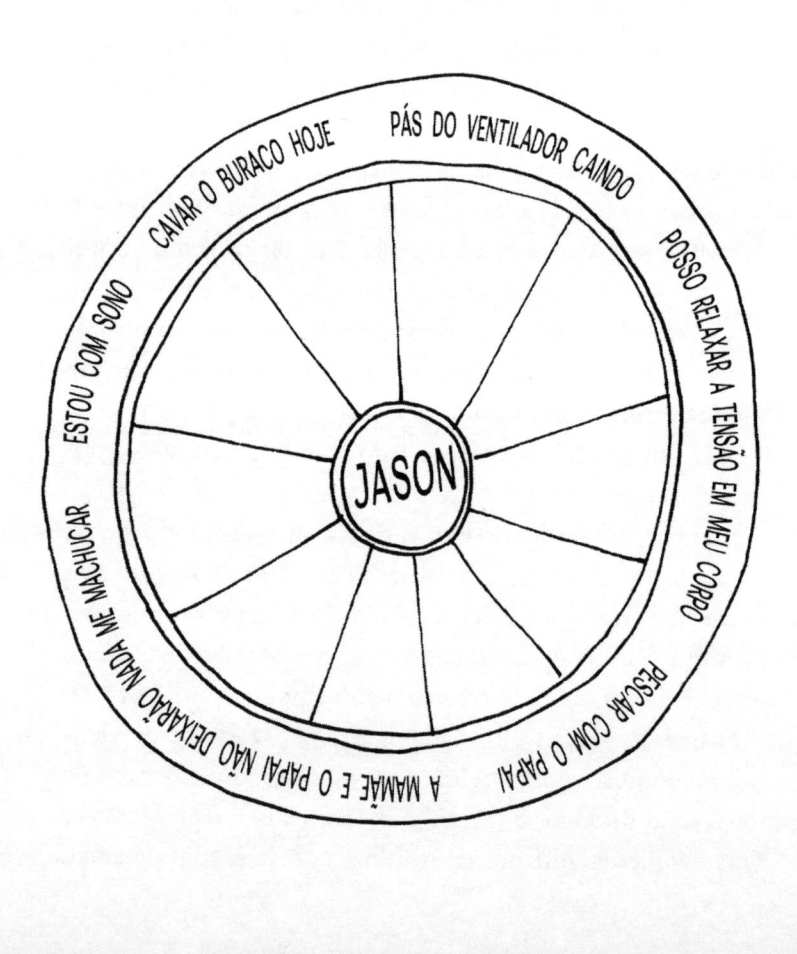

Recentemente, vimos esse princípio em funcionamento em Jason, um menino de 6 anos de idade. Às vezes, ficava obsessivo com medos irracionais, o que estava levando seus pais à loucura. Por fim, começou a ter problemas para dormir porque tinha medo de que o ventilador de teto de seu quarto caísse nele. Seus pais mostraram-lhe diversas vezes o quanto o ventilador estava bem preso ao teto e explicaram, de maneira lógica, o quanto ele estava seguro na própria cama. Mas os pensamentos de seu cérebro do andar de cima racional e lógico estavam sendo sequestrados todas as noites pelo cérebro do andar de baixo. Deitado, permanecia acordado muito tempo depois da hora de dormir, pensando no que aconteceria se os parafusos se soltassem e as pás em movimento caíssem sobre ele, cortando em pedacinhos seu corpo, a cama e os lençóis do Darth Vader.

Quando seus pais aprenderam mais sobre visão mental e explicaram a roda da consciência a Jason, de repente ele teve uma ferramenta valiosa que ofereceu alívio não apenas a ele, mas também a toda a família. Como Josh, ele viu que havia ficado preso em seu aro, fixando o medo do que poderia acontecer se o ventilador de teto caísse. Os pais o ajudaram a voltar ao eixo, onde ele poderia reconhecer as sensações físicas que sinalizavam que sua obsessão estava começando a tomar conta da sua mente – sensação de ansiedade no peito, tensão nos braços, pernas e rosto –, para, então, redirecionar a atenção a algo que o fizesse relaxar. Dessa forma, poderia dar os passos seguintes para reunir as partes diferentes de si mesmo. Ele poderia pensar em outros pontos da margem da roda: teria confiança de que seus pais o protegeriam e jamais o deixariam dormir embaixo de um ventilador de teto que pudesse cair e machucá-lo, ou a memória do quanto se divertira naquele dia cavando um buraco imenso no quintal. Ou poderia focar a tensão que sentia no corpo e usar algumas imagens guiadas para relaxar sozinho. Como adorava pescar, Jason começou a se imaginar em um barco com o pai (falaremos mais sobre essa técnica adiante).

Mais uma vez, tudo volta para a consciência. Ao se tornar consciente de que estava preso em uma das partes do aro de sua roda e que tinha outras opções nas quais poderia direcionar sua concentração, Jason aprendeu a mudar o foco e, portanto, o estado mental. Isso significa que poderia tomar decisões que tornariam sua vida muito mais fácil tanto para si mesmo quanto para sua roda da consciência. Todos sobreviveram a essa fase difícil sem precisar tirar o ventilador do teto.

Porém, mais uma vez, a integração levou não apenas à sobrevivência, mas também à prosperidade. A visão mental foi um curativo para Jason, pois acabou ajudando-o e ajudando seus pais a lidarem com um obstáculo noturno específico. Também produziu uma mudança drástica que gerará benefícios até a vida adulta. Em outras palavras, aprender a usar a roda da consciência e mudar a posição para a qual sua atenção era direcionada modificou naturalmente a perspectiva de Jason – mas fez muito mais do que isso. Como Jason, mesmo tão jovem, compreendeu esse princípio e praticou a concentração em outros pontos do aro, os neurônios de seu cérebro dispararam de novas maneiras e fizeram novas conexões. Esses novos disparos e conexões mudaram a constituição do seu cérebro e o tornaram menos vulnerável não apenas a esse medo e a essa obsessão em particular, mas também a obsessões futuras – como quando ficou apavorado com a ideia de cantar no palco, na apresentação de fim de ano da escola, e nervoso em relação a dormir na casa de um amigo. A visão mental, com a consciência que esta traz, efetivamente mudou o cérebro de Jason. Por causa de sua natureza, talvez ele continue lidando com certas preocupações inerentes à sua personalidade. Contudo, durante o restante da vida, ele colherá os benefícios desse trabalho do cérebro por inteiro que fez quando pequeno e terá à disposição uma ferramenta poderosa para lidar com outros medos e obsessões.

Do mesmo modo que a mãe e o pai de Jason atentaram, a visão mental pode ser uma descoberta instigante para os pais, especialmente quando veem o poder da integração funcionando na vida de seus filhos. É muito empolgante compreender (e ensinar nossos filhos) que podemos usar nossa mente para assumir o controle da nossa vida. Ao direcionarmos nossa atenção, podemos *deixar de ser influenciados* por fatores dentro de nós e ao nosso redor para *influenciá-los*. Quando nos tornamos conscientes da grande quantidade de emoções e forças cambiantes em ação ao nosso redor e dentro de nós, podemos reconhecê-las e até abraçá-las como partes de nós mesmos – mas não devemos permitir que nos tiranizem ou nos definam. Podemos mudar nosso foco para outros pontos do aro da roda da consciência, de modo que não sejamos mais vítimas de forças aparentemente fora de nosso controle, mas participantes ativos do processo de decidir e afetar como pensamos e sentimos.

Que incrível poder para conferir a seus filhos! Quando eles compreendem alguns princípios básicos de visão mental – frequentemente, as crianças conseguem entender a roda da consciência muito cedo, no início do Ensino Fundamental –, tornam-se capacitados a controlar mais completamente o próprio corpo e mente e mudar de fato a forma como vivenciam diferentes situações de vida. O cérebro do andar de baixo e as memórias implícitas deles os controlarão menos e a visão mental os ajudará a viver vidas plenas e saudáveis com um cérebro integrado.

Contudo, e se as crianças ficarem presas no aro e não conseguirem voltar ao eixo? Em outras palavras, se não conseguirem reunir as diferentes partes de si mesmas por estarem tão fixadas em um estado mental específico? Como pais, sabemos que essa "emperração" acontece o tempo todo. Basta pensar em Josh e em seu perfeccionismo. Mesmo depois de ter compreendido a roda da consciência e as diferentes partes de si mesmo, sua necessidade de ser bem-sucedido em tudo ainda poderá oprimi-lo às vezes. Isso também vale para Jason e seu medo do ventilador de teto. Uma consciência da visão mental e a roda da consciência podem ser muito poderosas, mas isso não significa que as crianças possam facilmente mudar o foco da atenção para outro ponto do aro e seguir em frente com suas vidas.

Então, como podemos ajudar nossos filhos a integrarem cada vez mais as diferentes partes de si mesmos e desgrudarem dos pontos do aro que os estejam limitando? Como podemos ajudá-los a desenvolver uma visão mental para poderem controlar suas próprias vidas cada vez mais? Abordaremos algumas maneiras de como você pode apresentar a visão mental a seus filhos e ajudá-los a construir competências que poderão usar diariamente.

O que você pode fazer: apresentando seu filho ao poder da visão mental

ESTRATÉGIA DO CÉREBRO POR INTEIRO Nº 8: DEIXE AS NUVENS DE EMOÇÕES PASSAREM: ENSINANDO QUE SENTIMENTOS VÊM E VÃO

Como dissemos repetidamente em nossa jornada por este livro, é muito importante que as crianças aprendam mais sobre seus sentimentos e os compreendam. Contudo, sentimentos precisam ser reconhecidos pelo que são: condições temporárias e em mutação. São estados, não características. São como o clima. A chuva é real e seríamos tolos se ficássemos parados debaixo dela e agíssemos como se não estivesse realmente chovendo. Mas seríamos igualmente tolos se pensássemos que o sol jamais reapareceria.

Precisamos ajudar as crianças a compreenderem que as nuvens de suas emoções podem (e vão) passar. Elas não se sentirão tristes, com raiva, magoadas ou solitárias para sempre. Esse é um conceito difícil de entender no começo. Quando ficam magoadas ou assustadas, às vezes é difícil perceberem que não sofrerão *para sempre*. Enxergar a longo prazo não costuma ser fácil para um adulto, imagine para uma criança pequena.

Assim, precisamos ajudá-las a compreender que os sentimentos são temporários – em média, uma emoção vem e vai em noventa segundos. Se conseguirmos comunicar a nossos filhos o quanto a maioria dos sentimentos é fugaz, poderemos ajudá-los a desenvolver a visão mental exemplificada com o menino de que falamos anteriormente, que corrigiu a si mesmo e disse: "Não sou burro. Só estou me sentindo burro *neste momento*".

Crianças menores evidentemente precisarão de ajuda, mas certamente são capazes de entender que os sentimentos vêm e vão. Quanto mais compreenderem essa ideia, menos ficarão presas ao aro de suas rodas e mais serão capazes de viver a vida e tomar decisões a partir do eixo do centro.

ESTRATÉGIA 8
EM VEZ DE "DESPREZAR E NEGAR"...

> Que pena que Moby rasgou o seu desenho, meu amor. Mas não se preocupe. Você fará outro desenho na escola amanhã.

TENTE ENSINAR QUE OS SENTIMENTOS VÊM E VÃO

> Que pena que Moby rasgou o seu desenho especial da escola. Acho que agora você não o quer mais.

> Não quero mesmo!

> Sei que é assim que está se sentindo agora. Mas como você estava se sentindo ontem à noite, quando ele se aninhou com você na cama?

> Eu adorei.

> Está vendo como às vezes você sente amor, e outras vezes, raiva? Nossos sentimentos mudam o tempo todo, não é?

ESTRATÉGIA DO CÉREBRO POR INTEIRO Nº 9:

EXAMINAR: PRESTANDO ATENÇÃO AO QUE ACONTECE POR DENTRO

Para que as crianças desenvolvam visão mental e, depois, influenciem os diferentes pensamentos, desejos e emoções rodopiando dentro deles, primeiro precisam se conscientizar do que estão realmente sentindo. Isso significa que uma das funções mais importantes ao criarmos nossos filhos é ajudá-los a reconhecer e compreender os diferentes pontos do aro de suas rodas da consciência individuais.

Não é preciso fazer uma reunião formal para transmitir essa ideia. Encontre maneiras de trabalhar esse conceito durante as interações diárias com seus filhos. Recentemente, Tina decidiu que tal ideia seria útil para mudar o humor do filho de 7 anos, ao levá-lo para a escola uma manhã. Como ele estava chateado com o fato de sua ida ao estádio Dodger ter sido adiada, ela aproveitou a oportunidade para apresentá-lo ao "para-brisa da consciência":

– Olhe para todas aquelas marcas no nosso para-brisa. Tais marcas são todas as coisas diferentes nas quais você está pensando e sentindo agora. Tem muita coisa! Está vendo aquela mancha bem ali? Aquilo é o quanto você está bravo com o papai agora. E aquelas marquinhas amarelas de insetos? Elas são a decepção que você está sentindo por não poder ver o jogo desta noite. Está vendo aquela outra ali? É o quanto você acredita no papai quando ele diz que vai levá-lo ao estádio no fim de semana que vem. Aquela outra lá é o quanto você sabe que pode ter um bom dia hoje de qualquer maneira, porque vai almoçar e jogar bola com o Ryan no intervalo...

Você pode usar qualquer item à sua frente: um para-brisa, uma roda de bicicleta, o teclado do piano ou qualquer objeto que esteja por perto. Apenas ajude seus filhos a compreender que há muitas partes deles mesmos que eles podem vir a conhecer e integrar entre si.

Uma das melhores maneiras de orientar crianças sobre o que há no aro delas é ajudá-las a examinar todos os *sentimentos*, *sensações*, *imagens* e *pensamentos* que as estejam afetando. Ao prestar atenção nas sensações físicas, por exemplo, as crianças podem se tornar muito mais conscientes do que está acontecendo em seus corpos. Podem aprender a reconhecer borboletas no estômago como marcadores de ansiedade, o desejo de bater como raiva ou frustração, ombros pesados como tristeza e assim por diante. Podem identificar a tensão em seus corpos quando estão nervosas e, então, aprender a relaxar os ombros, respirar fundo e acalmarem-se sozinhas. Simplesmente reconhecer sensações diferentes como fome, cansaço, empolgação e mau humor pode lhes fazer compreender o que estão passando e acabar influenciando seus sentimentos.

Além das sensações, precisamos ensinar nossos filhos a examinar imagens que estejam afetando a forma como olham e interagem com o mundo. Algumas imagens do passado permanecem, como a memória do pai na maca do hospital ou um momento de constrangimento na escola. Outras podem ser fabricadas por imaginações ou mesmo pesadelos que tenham tido. Uma criança que se preocupa em ser deixada de lado e isolada durante o intervalo pode, por exemplo, imaginar-se sozinha em um balanço solitário. Outra criança pode ter medos noturnos como resultado das imagens das quais se lembra de um sonho assustador. Quando uma criança se torna consciente das imagens ativas em sua mente, pode usar sua visão mental para assumir o controle dessas imagens e diminuir imensamente o poder que exercem sobre ela.

Crianças também podem ser ensinadas a examinar sentimentos e emoções que estejam vivenciando. Dedique um tempo para lhes perguntar como estão se sentindo e ajude-as a serem específicas, para que possam passar de vagos descritores emocionais, como "bem" e "mal", para outros mais precisos, como "decepcionado", "ansioso", "com inveja" e "empolgado". Um motivo pelo qual as crianças não costumam expressar a complexidade de uma emoção em particular é porque ainda não aprenderam a pensar sobre seus sentimentos de uma forma sofisticada que reconheça a variedade e a riqueza que possuem dentro de si. Como resultado, não usam um espectro completo de emoções em suas respostas, preferindo pintar seus quadros emocionais principalmente em preto e branco. Idealmente, queremos que nossos filhos reconheçam que há um colorido arco-íris de emoções dentro deles e que prestem atenção a essas diferentes possibilidades.

ESTRATÉGIA 9
EM VEZ DE "DESPREZAR E NEGAR"...

TENTE USAR A VISÃO MENTAL PARA ASSUMIR O CONTROLE DAS IMAGENS

[Quadro 1]
— Não consigo dormir. Estou com medo das múmias.
— Pode ser assustador ter esse tipo de imagem na cabeça. Sabe o que você pode fazer? Pode mudar as imagens!
— Como?

[Quadro 2]
— E se a gente tornasse as imagens menos assustadoras e mais engraçadas? Que tal vestir a múmia com uma saia de bailarina e um boné? Imagine se ela usasse um óculos de mergulho?

Sem a visão mental do que está acontecendo dentro do cérebro, eles ficarão presos no preto e branco, como velhas reprises de TV a que assistimos sem parar. Quando têm uma paleta emocional completa, são capazes de experimentar o vívido Tecnicolor que uma vida emocional profunda e vibrante permite. Mais uma vez, esse ensino ocorre nas interações do cotidiano com seus filhos e começa antes mesmo que eles aprendam a falar. *Sei que é chato você não poder comer este doce.* Então, conforme eles ficam mais velhos, podemos apresentar sutilmente cada vez mais emoções. *Lamento que sua excursão*

EMOÇÕES

Empolgado	Irritado	Triste	Confuso	Confiante	Envergonhado
Cauteloso	Entusiasmado	Decepcionado	Alienado	Deprimido	Animado
Desencorajado	Curioso	Agressivo	Enciumado	Chateado	Exausto
Temeroso	Ansioso	Tímido	Determinado	Assustado	Enojado
Frustrado	Culpado	Surpreso	Entediado	Apático	Feliz

para esquiar tenha sido cancelada. Se isso tivesse acontecido comigo, estaria me sentindo de várias maneiras: irritado, decepcionado, magoado e desapontado. O que mais?

Pensamentos são diferentes de sentimentos, sensações e imagens, visto que representam a parte mais esquerda do cérebro no processo de examinar. São aquilo que pensamos, o que dizemos a nós mesmos e a forma como narramos a história de nossa própria vida, usando palavras. Crianças podem aprender a prestar atenção aos pensamentos que passam correndo por suas cabeças e compreender que não precisam acreditar em todos eles.

Podem até mesmo discordar de ideias que não são úteis ou saudáveis – ou mesmo verdadeiras. Por meio dessa conversa consigo mesmas, podem direcionar a atenção para longe dos pontos do aro que as estejam limitando, enfatizando aqueles que as levam à felicidade e ao crescimento. A visão mental permite que retornem ao eixo e prestem atenção aos próprios pensamentos. Então, desse ponto de consciência, podem usar a conversa consigo mesmas para se lembrarem de outros pontos do aro, de outros pensamentos e sentimentos que também são partes importantes delas mesmas. Por exemplo, uma menina de 11 anos pode olhar no espelho e dizer: "Que burrice ficar queimada de sol no acampamento. Que burrice!". Contudo, se seus pais lhe ensinaram a discutir com os próprios pensamentos negativos, ela pode recuar um pouco e se corrigir: "Qual é, isso não é uma burrice. É normal se esquecer das coisas, às vezes. Quase todas as crianças tomaram sol demais hoje".

Ao ensinarmos nossos filhos a examinarem a atividade de suas mentes, podemos ajudá-los a reconhecer os diferentes pontos do aro ativos dentro deles e a ganhar mais percepção e controle de suas vidas. Perceba também o quanto todo o processo é integrado quando se trata de como o cérebro recebe diferentes estímulos. O sistema nervoso se estende ao longo de todo o nosso corpo, funcionando como poderosas antenas que leem as diferentes sensações físicas de nossos cinco sentidos. Assim, tiramos as imagens do hemisfério direito do cérebro, combinando-as com os sentimentos que surgem do cérebro esquerdo e o sistema límbico. Então, no fim, relacionamos tudo com os pensamentos conscientes que se originam em nosso hemisfério esquerdo e as habilidades analíticas de nosso cérebro do andar de cima. Examinar nos ajuda a compreender a importante lição de que nossas sensações corporais moldam nossas emoções e nossas emoções moldam nosso pensamento, assim como as imagens em nossa mente. As influências vão para o outro lado também: se temos pensamentos hostis, podemos intensificar um sentimento de raiva que, por sua vez, pode tensionar os músculos de nosso corpo. Todos os pontos do aro – sensações, imagens, sentimentos e pensamentos – podem influenciar os outros e, juntos, criam nosso estado mental.

A próxima vez que tiver alguns minutos no carro com seus filhos, faça o jogo de examinar, fazendo-lhes perguntas que os ajudem no processo de exame. A seguir, veja um exemplo de como você pode começar:

Você Vou falar algo sobre o que as sensações do meu corpo estão me dizendo. Estou com fome. E você? O que o seu corpo está dizendo?

Seu filho O cinto de segurança está raspando o meu pescoço.

Você Ah, essa é boa. Vou arrumar isso em seguida. E imagens? Que imagens estão passando pela sua mente? Estou me lembrando daquela cena engraçadíssima da sua peça na escola e de você com aquele chapéu esquisito.

Seu filho Estou pensando no trailer que vimos daquele filme novo. Aquele sobre os aliens.

Você É, precisamos ver aquele filme. Agora, sentimentos. Estou muito empolgado com a visita de vovó e vovô amanhã.

Seu filho Eu também!

Você Muito bem, vamos continuar examinando... agora, os pensamentos. Acabei de pensar que precisamos de leite. Vamos ter de parar para comprá-lo antes de ir para casa. E você?

Seu filho Estava pensando que Claire deveria ter mais tarefas do que eu, já que é mais velha.

Você (Sorrindo) Que bom que você é ótimo tendo ideias. Vamos pensar um pouco mais nessa.

Mesmo se a situação parecer boba, o jogo do exame é uma boa maneira de seus filhos prestarem atenção à própria paisagem interior. Ao simplesmente conversar sobre a mente, lembre-se de que já estamos ajudando a desenvolvê-la.

ESTRATÉGIA DO CÉREBRO POR INTEIRO Nº 10:
EXERCITAR A VISÃO MENTAL: VOLTANDO AO EIXO

Falamos antes sobre o poder da visão mental e da atenção focada. Quando as crianças se fixam em um conjunto de pontos de sua roda da consciência, precisamos ajudá-las a mudar o foco, para se tornarem mais integradas. Elas sabem que não precisam ser vítimas dos pensamentos, sentimentos, sensações e imagens dentro de si e devem *decidir* como pensar e sentir suas experiências.

Isso não ocorre naturalmente para as crianças, mas elas podem rapidamente aprender a focar a atenção de volta ao eixo. Podemos lhes dar ferramentas e estratégias para se acalmarem e integrarem seus diferentes sentimentos e desejos. Uma das melhores formas de os pais fazerem isso é apresentar-lhes exercícios de visão mental que as ajudem a voltar ao eixo. Quando ajudamos nossos filhos a retornar ao eixo de suas rodas, nós os auxiliamos a se tornarem mais focados e centrados para permanecer conscientes dos muitos pontos do aro que estejam afetando suas emoções e seus estados mentais.

A seguir, veremos como uma mãe, Andrea, ajudou sua filha de 9 anos, Nicole, a voltar ao eixo para lidar com a ansiedade de se apresentar em um recital de música. Na manhã do recital, Andrea se deu conta de que Nicole estava compreensivelmente nervosa porque ia tocar violino diante dos amigos e dos pais. Ela sabia que os sentimentos da filha eram normais, mas também queria ajudá-la a ficar menos presa ao aro. Então, apresentou-lhe um exercício de visão mental. Andrea fez Nicole se deitar de costas no sofá, e ela sentou na cadeira ao lado dela. Então, começou a ajudar a filha a se conscientizar sobre o que estava acontecendo dentro de si. A seguir, veja um resumo do que ela disse.

> Muito bem, Nicole, enquanto estiver deitada sem se mexer, movimente os olhos pela sala. Mesmo sem mexer a cabeça, você consegue ver a luminária em cima da mesa. Agora, olhe para suas fotos de bebê. Está vendo? Agora olhe para a estante de livros. Está vendo o grande livro do Harry Potter lá? Agora olhe de novo para a luminária.
>
> Está vendo como você tem o poder de focar a atenção em toda esta sala? É isso que quero ensinar a você, mas vamos focar sua atenção no que está acontecendo dentro da sua mente e do seu corpo. Feche os olhos e preste atenção em seus pensamentos, sentimentos e sentidos. Vamos começar com o que você ouve. Vou ficar em silêncio por alguns segundos e você prestará atenção aos sons ao nosso redor.
>
> O que está ouvindo? Aquele carro passando? O cachorro latindo do outro lado da rua? Está ouvindo seu irmão com a torneira ligada no banheiro? Você está consciente desses sons simplesmente porque ficou parada e focou a atenção em ouvi-los. Você os ouviu de propósito.

Agora, quero que sinta a sua respiração. Primeiro, perceba o ar que entra no seu nariz e sai dele. Agora, sinta seu peito subindo e descendo... perceba a forma como a sua barriga se mexe toda vez que você inspira e expira.

Novamente, ficarei em silêncio por alguns segundos. Durante esse tempo, mantenha o foco na sua respiração. Outros pensamentos lhe virão à mente e você, provavelmente, pensará até mesmo no recital. Tudo bem. Quando perceber que sua mente está vagando e você estiver pensando em outra coisa ou estiver começando a se preocupar, volte a enfocar a inspiração e a expiração. Acompanhe essa onda da inspiração e da expiração.

Depois de pouco mais de um minuto, Andrea disse para Nicole abrir os olhos e sentar-se. Andrea explicou que essa técnica é uma forma poderosa de acalmar a mente e o corpo. Ela disse para a filha guardar esse exercício no bolso para quando precisasse – por exemplo, pouco antes do recital. Se ela começasse a sentir o coração batendo forte demais pouco antes de tocar violino, poderia voltar a pensar na respiração entrando e saindo, mesmo com os olhos abertos.

Veja como um exercício de visão mental tranquilizador como este pode ser uma ferramenta simples, mas poderosa para ajudar uma criança a lidar com medos e outras emoções desafiadoras. Além disso, exercícios de visão mental conduzem à integração, porque, como sabemos, quando focamos nossa atenção, neurônios disparam e se tornam ativos, e então se ligam a outros neurônios. Neste caso, quando Andrea ajudou Nicole a focar a própria respiração, ela não

ESTRATÉGIA 9
EM VEZ DE "DESPREZAR E NEGAR"...

> Não quero tomar injeção!

> Vai doer só um instante e, depois, levo você para tomar um milk-shake. Que tal?

EXERCITE A VISÃO MENTAL

> Não quero tomar injeção!

> Sei que não. Vamos tentar uma coisa. Feche os olhos e se imagine balançando suavemente na rede do vovô. Lembra como isso é gostoso?

> A-hã.

> Sinta-se daquele jeito agora. Perceba como todo seu corpo relaxa e acalma.

estava apenas tratando dos sentimentos de ansiedade da filha. Estava também ajudando a menina a retornar ao próprio eixo, para perceber outras partes de si mesma e até sensações físicas que poderia, então, mudar intencionalmente. Desta maneira, seus neurônios associaram o ato de focar totalmente na respiração com os neurônios relacionados a sensações de calma e bem-estar. Ela passou para um estado mental completamente novo e foi capaz de voltar ao eixo.

Embora esse exemplo se concentre em uma criança mais velha, em idade escolar, crianças mais jovens também podem se beneficiar de exercícios de visão mental. Mesmo com 4 ou 5 anos de idade as crianças podem aprender a focar a própria respiração. Uma boa técnica é fazê-las deitarem e colocar um brinquedo – como um barco – sobre a barriga delas. Peça-lhes, então, que enfoquem o barco, observando-o subir e descer enquanto navega as ondas da respiração.

Não estamos sugerindo que exercícios de visão mental exigem que uma pessoa se deite e entre em estado meditativo. Uma das melhores ferramentas que você pode dar a seus filhos quando se sentirem ansiosos ou com medo, ou mesmo quando estiverem com problemas para pegar no sono, é ensiná-los a visualizar um lugar onde se sintam calmos e tranquilos: flutuando em uma boia na piscina, sentados à margem de um rio do qual se lembrem de uma viagem em que vocês acamparam ou balançando em uma rede na casa dos avós.

Exercícios de visão mental levam à *sobrevivência*, que pode ajudar as crianças a lidarem com ansiedades e frustrações e, para crianças mais velhas, até mesmo com raiva intensa. Mas essas estratégias também fazem *prosperar*. Depois que Andrea apresentou a Nicole o exercício de visão mental antes do recital (no qual ela acabou relaxando e tocando lindamente), elas retomaram exercícios semelhantes de vez em quando, com Andrea guiando Nicole por meio de visualizações como a citada anteriormente. Conforme ficou mais velha e continuou a praticar, Nicole compreendeu mais sobre o eixo de sua roda, de modo que conseguia voltar a ele mais fácil e rapidamente. Ela aprendeu a enfocar mais precisa e especificamente as partes de si mesma que desejava desenvolver e fazer crescer.

Pense em algumas formas de ajudar seus filhos a aprenderem a ficar quietos e tranquilos às vezes e encontrarem a profunda tranquilidade existente em seus eixos. De lá, eles serão mais capazes de sobreviver às tempestades que se formam dentro deles a cada instante e terão mais chances de prosperar – emocional, psicológica e socialmente – conforme se aproximarem da idade adulta.

Crianças com cérebro por inteiro: instrua seus filhos a integrar as muitas partes deles mesmos

Já demos a você diversos exemplos de como outros pais apresentaram a seus filhos a visão mental e o poder da atenção focada. A seguir, veja algo que você pode ler para seus filhos para ensinar esse conceito.

CRIANÇAS COM CÉREBRO POR INTEIRO:
INSTRUA SEUS FILHOS SOBRE COMO INTEGRAR AS MUITAS PARTES DELES MESMOS

ÀS VEZES, VOCÊ SE SENTE COMO SE ESTIVESSE PRESO A UM SENTIMENTO OU PENSAMENTO? TALVEZ ALGO TRISTE E MUITO PODEROSO O FAÇA SE ESQUECER DE OUTROS SENTIMENTOS E PENSAMENTOS QUE O DEIXAM FELIZ OU EMPOLGADO.

A BOA NOTÍCIA É QUE VOCÊ NÃO PRECISA FICAR PRESO A SENTIMENTOS QUE O CHATEIAM. VOCÊ PODE APRENDER A FOCAR OUTRAS PARTES DE SI MESMO E SE SOLTAR.

NASSIM NÃO CONSEGUIA PARAR DE PENSAR NA COMPETIÇÃO DE SOLETRAR. ELE FICOU ATÉ COM DOR DE BARRIGA. PERDEU A VONTADE DE ALMOÇAR E BRINCAR NA HORA DO INTERVALO. SÓ CONSEGUIA PENSAR EM SOLETRAR. ESTAVA ESTRESSADO.

ENTÃO, A PROFESSORA DELE, A SRTA. ANDERSON, ENSINOU-LHE MAIS SOBRE SUA RODA DA CONSCIÊNCIA. ELA EXPLICOU QUE NOSSA MENTE É COMO UMA RODA DE BICICLETA. NO CENTRO DA RODA, CHAMADO DE EIXO, FICA NOSSO PONTO SEGURO, ONDE NOSSA MENTE PODE RELAXAR E ESCOLHER NO QUE PENSAR.

CAPÍTULO 5

POR EXEMPLO:

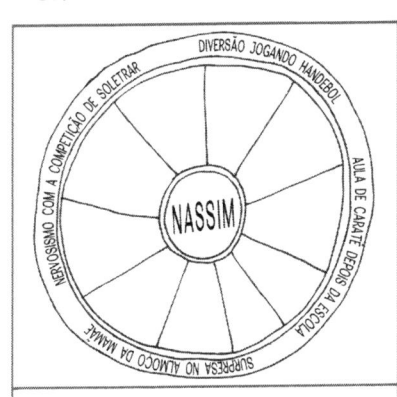

No aro da roda estão todas as coisas que Nassim poderia imaginar e sentir: o quanto ele gosta de jogar handebol no intervalo, a surpresa que a mãe teria colocado em seu almoço e, é claro, seu nervosismo em relação à competição de soletrar. Ela explicou que ele estava focando apenas o ponto do nervosismo do aro e ignorando as outras partes.	Srta. Anderson disse para Nassim fechar os olhos e respirar fundo. Ela falou: "Você estava focando suas preocupações em soletrar. Agora, quero que enfoque a parte da roda cuja diversão é jogar handebol e a parte que consegue imaginar um almoço gostoso". Ele sorriu e sua barriga começou a roncar.
Quando abriu os olhos, Nassim estava se sentindo melhor. Ele havia usado sua roda da consciência para focar outros sentimentos e pensamentos e mudado a forma como se sentia. Ainda estava um pouco nervoso, mas não estava empacado apenas no nervosismo.	Ele aprendeu que não precisa pensar apenas nos sentimentos de nervosismo e pode usar a mente para imaginar outras coisas que possam ajudá-lo a se divertir mais e não se sentir tão preocupado. Nassim comeu o almoço e saiu correndo para jogar handebol.

Integrando a nós mesmos: olhando para nossa própria roda da consciência

Há muitas maneiras de os pais se beneficiarem com a compreensão da visão mental e da roda da consciência. Vamos parar um instante para você observar e experimentar o que estamos falando.

Do seu eixo, examine a própria mente. Que pontos do aro têm a sua atenção neste momento? Talvez alguns desses?

- Estou muito cansada. Queria poder dormir uma hora mais.

- Estou irritada com o fato de meu filho ter jogado o boné no chão. Agora, quando ele chegar em casa, terei de reclamar por isso e por causa do dever de casa.

- O jantar com os Cooper será divertido esta noite, mas gostaria de ficar em casa.

- Estou cansada.

- Queria fazer mais coisas por mim. Pelo menos estou tendo o prazer de ler um livro esses dias.

- Já falei que estou cansada?

Todos esses pensamentos, sentimentos, sensações e imagens estão nos pontos do aro da sua roda da consciência e, juntos, determinam o seu estado mental.

Agora, vamos ver o que acontece quando você direciona intencionalmente a atenção para outros pontos do aro. Diminua o ritmo por alguns instantes, fique em silêncio e faça as seguintes perguntas:

- Que coisa engraçada ou encantadora meu filho disse ou fez recentemente?

- Embora seja monstruosamente difícil às vezes, genuinamente adoro e aproveito ser mãe? Como me sentiria se não fosse mãe?

- Qual é a camiseta preferida do meu filho? Consigo me lembrar do primeiro par de sapatos dele?

- Posso imaginar meu filho aos 18 anos com as malas prontas, saindo de casa para estudar na faculdade?

Está se sentindo diferente? O seu estado mental mudou?

A visão mental fez isso. Desde o seu eixo, você percebeu os pontos do aro na sua própria roda da consciência e tornou-se consciente do que estava sentindo. Então, você mudou o foco, direcionando a atenção para outros pontos do aro e, como resultado, todo o seu estado mental mudou. *Este é o poder da mente. Assim você pode, literal e fundamentalmente, transformar a forma como se sente e como interage com seus filhos.* Sem a visão mental, você pode ficar preso no seu aro, sentindo-se basicamente frustrado, irritado ou ressentido. A alegria de criar filhos desapareceu nesse momento. Mas, ao retornar ao seu eixo e mudar o foco, você pode começar a sentir alegria e gratidão por ter filhos – apenas por prestar atenção e *direcionar* a atenção a novos pontos no aro.

A visão mental também pode ser imensamente prática. Pense, por exemplo, na última vez que ficou irritado com um de seus filhos. Irritado de verdade, a ponto de ter perdido o controle. Lembre-se do que ele fez e de como você se sentiu furioso. Em momentos assim, a raiva que você sente arde e queima no aro de sua roda. Na verdade, arde tão intensamente que se destaca muito mais do que os outros pontos do aro que representam os sentimentos e o conhecimento que você tem de seus filhos: a sua compreensão de que o menino de 4 anos está agindo como um menino normal de 4 anos, a memória de vocês rindo juntos histericamente, apenas alguns minutos antes, enquanto jogavam cartas, a promessa que você fez de que pararia de segurar os braços de seus filhos quando ficasse bravo, seu desejo de servir de modelo adequado para expressões de raiva.

É assim que somos dominados pelo aro quando não estamos integrados pelo eixo. O cérebro do andar de baixo assume o controle de qualquer integração partindo da região do andar de cima e outros pontos do aro são eclipsados pelo brilho desse único ponto de sua raiva absoluta. Você se lembra de "abrir a tampa"?

O que precisamos fazer em um momento assim? Isso mesmo, você adivinhou: integrar. Usar a visão mental. Ao focar a respiração, você pode pelo menos começar a voltar para o eixo da sua mente. Esse é o passo necessário que nos permite não sermos consumidos por um único ponto de raiva no aro – ou alguns deles. Quando estamos no eixo, torna-se possível captar a perspectiva mais ampla de que há outros pontos no aro para termos em mente. Podemos tomar um gole-d'água, dar um tempo e alongar ou parar um instante para nos recompormos. Então, assim que trouxermos nossa atenção de volta ao eixo, ficaremos livres para escolher como queremos responder a nossos filhos e, se necessário, repararmos qualquer ruptura em nosso relacionamento.

Isso não significa ignorar maus comportamentos. De forma alguma. Na verdade, um dos pontos do aro que você integrará com os outros é a sua crença em estabelecer limites claros e consistentes. Há muitas perspectivas que podemos adotar, incluindo desejos de que nossos filhos ajam de maneira diferente até sentimentos de preocupação sobre como reagimos em relação a eles. Quando ligamos todos esses diferentes pontos do aro juntos – quando usamos o eixo para integrar nossa mente naquele momento –, temos disponibilidade de continuar a criação sensível e sintonizada de nossos filhos. Então, com o cérebro trabalhando integrado, podemos nos conectar com nossos filhos porque estamos conectados com nós mesmos. Teremos mais chances de responder da forma como desejamos, com visão mental e o todo que somos, em vez de termos uma reação imediata provocada por um ponto ardente no aro da roda. Para fazer sua própria prática da roda, acesse http://www.drdansiegel.com.

6:
A CONEXÃO EU-NÓS

INTEGRANDO O *SELF* E OUTROS

Ron e Sandy estavam cansados. O filho de 7 anos deles, Colin, era um bom menino. Não causava problemas na escola, os amigos e os pais gostavam dele e, normalmente, fazia o que devia fazer. Mas, segundo os pais, ele era "completa e incuravelmente egoísta". Sempre pegava o último pedaço de pizza, mesmo se ainda tivesse um pouco no prato. Ele implorou por um filhote de cachorro, mas não demonstrou nenhum interesse em brincar com o animalzinho, muito menos em limpar os cocôs que ele fazia. Mesmo depois de ficar grande demais para os brinquedos, recusava-se a deixar o irmão mais novo brincar com eles.

Ron e Sandy sabiam que um pouco de egocentrismo em crianças é normal. Não queriam mudar a personalidade de Colin – queriam amá-lo pelo que ele era. Mas, às vezes, ficavam furiosos pelo fato de o filho frequentemente parecer incapaz de pensar nas outras pessoas. Quando se tratava de habilidades relacionais, como empatia, gentileza e consideração, Colin simplesmente parecia não ter desenvolvido esse circuito.

A gota-d'água ocorreu um dia depois da escola, quando Colin desapareceu no quarto que dividia com o irmão de 5 anos, Logan. Ron estava na cozinha quando ouviu os gritos do quarto dos meninos. Ele foi investigar e encontrou Logan atormentado, furioso com o irmão mais velho e chorando em cima de uma pilha de trabalhos de arte e troféus. Colin havia decidido "redecorar" o quarto. Ele havia tirado todas as aquarelas e desenhos de canetinha de Logan das paredes e os substituído com seus próprios pôsteres e cartões de beisebol, que colara em fileiras por toda a maior parede do quarto. Além disso, havia retirado dois troféus de futebol de Logan da prateleira e colocado seus bonecos que balançam a cabeça no lugar. Colin havia empilhado todas as coisas de Logan em um canto do quarto, segundo ele, "para não ficarem no caminho".

Quando Sandy chegou em casa, ela e Ron conversaram sobre a frustração que estavam sentindo com o filho mais velho. Sinceramente, acreditavam que não havia maldade nas atitudes de Colin. Na verdade, esse era quase o problema: ele *sequer levava os sentimentos de Logan em consideração* para pretender magoá-lo. Ele redecorou o quarto pelo mesmo motivo pelo qual sempre pegava a última fatia de pizza: simplesmente não pensava nos outros.

Esse problema é bem comum para os pais. Queremos que nossos filhos sejam carinhosos e atenciosos para que tenham relacionamentos significativos. Às vezes tememos que, por não serem tão gentis (ou compassivos, ou gratos, ou generosos) como queremos que sejam, eles jamais serão. É claro que não podemos esperar que um menino de 7 anos se comporte como um adulto esclarecido. Evidentemente, queremos que nossos filhos se tornem homens e mulheres fortes, complacentes, respeitosos e amorosos, mas é um pouco demais esperar isso de alguém que acabou de aprender a amarrar os próprios sapatos.

CAPÍTULO 6

No entanto, embora seja importante confiar no processo e saber que muito do que queremos para nossos filhos ocorrerá ao longo do tempo, *podemos* prepará-los e direcioná-los para se tornarem crianças, adolescentes e, por fim, adultos totalmente capazes de ter relacionamentos e de levar os sentimentos dos outros em consideração. Algumas pessoas simplesmente têm menos conexões neurais no circuito encarregado da empatia e dos relacionamentos. Assim, há crianças que têm dificuldade para ler e precisam praticar e criar essas conexões em seus cérebros e outras que têm dificuldade de se relacionar e precisam ter essas conexões estimuladas e cultivadas. Da mesma forma que a deficiência de aprendizado é um sinal de desafio mental, isso também ocorre com a incapacidade de sentir a dor de outra pessoa. Trata-se de uma questão de desenvolvimento e não necessariamente de um problema de caráter. Toda criança que não parece predisposta a estabelecer conexão e ter compaixão pode *aprender* o que significa estar em um relacionamento e suprir as responsabilidades inerentes a ele.

É disso que trata este capítulo. A maioria das informações que fornecemos nos capítulos anteriores visou ajudar a desenvolver todo o cérebro do seu filho com o objetivo de desenvolver uma noção forte e resiliente de "eu". Mas, assim como Ron e Sandy, as crianças precisam também de ajuda para compreender o que significa tornar-se parte de um "nós", para se integrarem com outros. Em nossa sociedade em constante mutação, aprender a passar de "eu" para "nós" é essencial para que nossos filhos sejam capazes de se adaptar ao nosso mundo futuro.

Ajudar as crianças a se tornarem membros de um "nós" sem perder o "eu" individual é uma tarefa difícil para qualquer pai. Contudo, a felicidade e a realização resultam de se estar conectado a outros ao mesmo tempo em que se mantém uma identidade única. Essa também é a essência da visão mental, que, como você deve lembrar, relaciona-se com o ato de ver a sua própria mente, assim como a mente do outro. É sobre desenvolver relacionamentos satisfatórios ao mesmo tempo que se cultiva uma noção saudável do *self*.

No capítulo 5, abordamos o primeiro aspecto da visão mental, ver e compreender a nossa mente. Falamos sobre ajudar crianças a se tornarem conscientes de e integrar as muitas partes diferentes de si mesmas por meio da roda da consciência. O conceito-chave nesse aspecto da visão mental é a *percepção pessoal*.

Agora, queremos voltar nossa atenção ao segundo aspecto da visão mental, o desenvolvimento da capacidade de ver e se conectar com a mente dos outros. Essa conexão depende de *empatia* e de reconhecer os sentimentos, os desejos e as perspectivas do outro. O filho de Ron e Sandy parecia necessitar de habilidades de empatia. Além de desenvolver e integrar todo o seu cérebro e as diferentes partes de si mesmo, ele precisava de muita prática para ver as coisas da perspectiva de outras pessoas, para visualizar a mente das outras pessoas. Ele precisava desenvolver esse segundo aspecto da visão mental.

PERCEPÇÃO + EMPATIA = VISÃO MENTAL

Percepção e empatia. Se podemos estimular essas características em nossos filhos, nós lhes daremos o dom da visão mental, oferecendo-lhes consciência sobre si mesmos e conexão com quem os cerca. Mas como podemos fazer isso? Como estimular nossos filhos a se conectarem com a família, os amigos e o mundo ao mesmo tempo que cultivam e mantêm a própria noção individual de *self*? Como podemos ajudá-los a aprender a compartilhar? A se darem bem com os irmãos? A negociar na política do parquinho? A se comunicarem bem e a levar os sentimentos dos outros em consideração?

As respostas a todas essas perguntas surgem da conexão eu-
-nós, que podemos compreender, a princípio, vendo como o
cérebro participa da criação dos relacionamentos.

O CÉREBRO SOCIAL: PROGRAMADO PARA "NÓS"

O que você imagina quando pensa no cérebro? Talvez se lembre das aulas de biologia da escola: aquele órgão esquisito boiando no pote ou uma imagem dele em um livro-texto. O problema dessa perspectiva do "crânio único" – em que consideramos o cérebro de cada indivíduo um órgão solitário isolado em um único crânio – é que negligencia a verdade que os cientistas vieram a compreender ao longo das últimas décadas: o cérebro é um órgão social feito para estar em relacionamento. É fisicamente conectado para receber sinais do ambiente social, que, por sua vez, influenciam o mundo interior da pessoa. Em outras palavras, o que acontece *entre* cérebros tem muito a ver com o que ocorre *dentro* de cada cérebro individual. O *self* e a comunidade são fundamentalmente inter-relacionados, uma vez que todo cérebro é continuamente construído por suas interações com outros. Mais do que isso, estudos sobre felicidade e sabedoria revelam que um fator-chave no bem-estar é dedicar atenção e paixão em benefício de outras pessoas, em vez de focar preocupações individuais e separadas de um *self* privado. O "eu" descobre significado e felicidade ao se juntar e pertencer a um "nós".

Para dizer de outra forma, o cérebro é programado para a *integração interpessoal*. Assim como suas muitas partes diferentes são feitas para funcionarem juntas, cada cérebro individual é feito para se relacionar com o cérebro de cada pessoa com quem interagimos. Integração interpessoal significa que respeitamos e alimentamos nossas diferenças quando cultivamos nossas conexões uns com os outros. Assim, embora queiramos ajudar nossos filhos a integrarem o cérebro esquerdo e o cérebro direito, o cérebro do andar de cima e o cérebro do andar de baixo, as memórias implícitas e explícitas e assim por diante, também precisamos ajudá-los a compreender a extensão na qual estão conectados com a família, os amigos, os colegas de aula e outras pessoas de suas comunidades. Ao compreender facetas básicas do cérebro relacional, podemos ajudar nossos filhos a desenvolverem uma visão mental que lhes permitirá viver relacionamentos mais profundos e significativos.

NEURÔNIOS ESPELHOS: OS REFLETORES NA MENTE

Você sente sede quando vê alguém bebendo algo? Ou boceja quando outra pessoa boceja? Essas reações familiares podem ser compreendidas à luz de uma das mais fascinantes descobertas a respeito do cérebro: os neurônios espelhos. Eis como se deu a descoberta.

No começo dos anos 1990, um grupo de neurocientistas italianos estava estudando o cérebro de um macaco. Eles haviam implantado eletrodos para monitorar neurônios individuais e, quando o macaco comia um amendoim, determinado eletrodo disparava. Até aí, não houve nenhuma surpresa – era o que os cientistas esperavam. Mas, então, o lanche de um cientista mudou o curso de nossa percepção da mente. Um dos pesquisadores pegou um amendoim e comeu diante do macaco. Em resposta, o neurônio motor do macaco disparou – o mesmo que havia disparado quando ele havia comido o amendoim! Os pesquisadores descobriram que o cérebro do macaco era influenciado e tornava-se ativo apenas ao *observar* os atos de outro. Quer o macaco testemunhasse uma ação, quer realizasse ele próprio o mesmo comportamento, o mesmo conjunto de neurônios era ativado.

Imediatamente, os cientistas começaram a trabalhar para identificar esses "neurônios espelhos" nos seres humanos. Embora haja muito mais perguntas do que respostas sobre exatamente o que são e como funcionam, estamos aprendendo ativamente cada vez mais sobre o sistema de neurônios espelhos. Tais neurônios podem ser a raiz da empatia e, portanto, contribuir para a visão mental no cérebro humano.

Os neurônios espelhos respondem apenas a atos com intenção, nos quais há alguma previsibilidade ou algum propósito que possa ser percebido. Por exemplo, se alguém simplesmente acena a mão no ar aleatoriamente, seus neurônios espelhos não reagirão. Contudo, se essa pessoa realizar um ato que você possa prever por experiência, como tomar um gole de um copo-d'água, seus neurônios espelhos "descobrirão" o que é pretendido antes mesmo de a pessoa fazê-lo. Assim, quando a pessoa levanta a mão, segurando um copo, você pode prever, em um nível sináptico, que ela pretende tomar um gole dele. Não apenas isso, mas os neurônios espelhos no seu cérebro do andar de cima vão prepará-lo para um gole também. Nós vemos um ato, compreendemos o objetivo dele e nos aprontamos para espelhá-lo.

Basicamente, é por isso que ficamos com sede quando outras pessoas bebem e bocejamos quando outras pessoas bocejam. Talvez por isso, um bebê recém-nascido, com poucas horas de vida, seja capaz de imitar o pai quando este mostra a língua. Neurônios espelhos também podem explicar por que irmãos mais jovens às vezes são melhores nos esportes. Antes sequer de entrarem em seus times, seus neurônios espelhos dispararam cada uma das centenas de vezes que viram os irmãos baterem, chutarem e atirarem uma bola. Em um nível mais complexo, os neurônios espelhos nos ajudam a compreender a natureza da cultura e como nossos comportamentos compartilhados nos conectam, filhos com pais, amigos com amigos e, por fim, marido com mulher.

Agora, vamos dar mais um passo. Com base no que vemos (assim como ouvimos, cheiramos, tocamos e saboreamos) no mundo ao nosso redor, podemos espelhar não apenas as intenções comportamentais dos outros, mas também seus estados emocionais. Em outras palavras, neurônios espelhos permitem não apenas que imitemos o comportamento dos outros, mas realmente nos identifiquemos com seus sentimentos. Percebemos não apenas a ação que virá a seguir, mas também a emoção que sustenta o comportamento. Por esse motivo, também poderíamos chamar essas células neurais especiais de "neurônios esponjas", visto que nos encharcamos como esponjas com o que vemos nos comportamentos, nas intenções e nas emoções das outras pessoas. Nós não apenas "espelhamos de volta" para os outros, mas também "absorvemos como esponjas" seus estados internos.

Pense no que acontece quando você está em uma festa com amigos. Se você se aproximar de um grupo que está rindo, provavelmente se pegará sorrindo ou mesmo rindo antes de ouvir a piada. Já notou que quando está nervoso ou estressado seus filhos costumam ficar assim também? Os cientistas chamam isso de "contágio emocional". Os estados internos dos outros – de alegria e diversão a tristeza e medo – afetam diretamente nosso próprio estado mental. Nós inundamos os outros em nosso próprio mundo interior.

Assim, você entende por que os neurocientistas chamam o cérebro de órgão social, pois é absolutamente construído para a visão mental. Somos equipados biologicamente para estarmos em relacionamentos, compreendermos de onde outras pessoas estão vindo e influenciarmos uns aos outros.

Como explicamos ao longo do livro, o cérebro é realmente remodelado por nossas experiências. Isso significa que todo debate, discussão, piada ou abraço que compartilhamos com alguém literalmente altera o nosso cérebro e o das outras pessoas. Depois de uma conversa intensa ou do tempo passado com alguém importante em nossa vida, temos um cérebro diferente. Como nenhum de nós está trabalhando com uma mente de crânio único, toda nossa vida mental é resultado de nosso mundo neural interior e dos sinais externos que recebemos dos outros. Cada um de nós deve juntar nosso "eu" individual com outros para se tornar uma parte de "nós".

ESTABELECENDO AS BASES PARA CONEXÃO: CRIANDO MODELOS MENTAIS POSITIVOS

O que isso tudo significa para os nossos filhos? Os tipos de relacionamentos que eles vivenciam estabelecerão o modo como se relacionarão com os outros pelo resto da vida. Em outras palavras, a forma como são capazes de usar a visão mental para participar de um "nós" e se unir a outras pessoas ao longo do caminho é baseada na qualidade do relacionamento de afeto deles com seus cuidadores – incluindo pais e avós, babás, professores, colegas e outras pessoas importantes em suas vidas.

Quando as crianças passam tempo com as pessoas mais importantes de suas vidas, desenvolvem importantes habilidades relacionais, como se comunicar e ouvir bem, interpretar expressões faciais, compreender a comunicação não verbal, compartilhar e sacrificar-se. Nos relacionamentos, também desenvolvem modelos sobre como se encaixam no mundo ao redor delas e como os relacionamentos funcionam. Aprendem se podem confiar que outros atendam e respondam a suas necessidades e sentem-se conectadas e protegidas o suficiente para sair e correr riscos. Em resumo, aprendem se os relacionamentos as deixarão se sentindo sozinhas e invisíveis, ansiosas, confusas ou ressentidas, compreendidas e bem cuidadas.

Pense em um recém-nascido. Um bebê nasce pronto para se conectar, pronto para ligar o que vê nos outros com o que faz e com o que sente por dentro. Mas e se esses outros apenas raramente entram em sintonia com o que ele precisa? E se, com frequência, os pais não estão disponíveis e o rejeitam? Então, inicialmente, a confusão e a frustração permearão a mente da criança. Sem momentos íntimos de conexão consistente com seus cuidadores, ela pode crescer sem visão mental, sem compreender a importância de se juntar a outras pessoas. Aprendemos cedo na vida a usar nossas conexões com outras pessoas confiáveis para aliviar nossa aflição interna. Essa é a base do apego seguro. Mas se não recebermos esse tipo de carinho, nosso cérebro precisará se adaptar e fazer o melhor possível. As crianças podem aprender a "fazer sozinhas" na tentativa de se acalmarem como podem. O circuito relacional e emocional do cérebro infantil, que precisa de proximidade e conexão, que não estão sendo oferecidas a elas, pode desligar completamente como forma de se adaptar. É assim que o cérebro social desliga sua motivação inata por conexão apenas para sobreviver. No entanto, se os pais aprenderem a demonstrar amor e sintonia consistentes e previsíveis, as crianças desenvolverão visão mental e atingirão o potencial relacional para o qual seu cérebro foi programado.

Não são apenas os pais que criam estratégias de adaptação – ou modelos mentais – para como as crianças veem os relacionamentos. Pense no que seus filhos estão aprendendo de seus relacionamentos com os diversos cuidadores, como o treinador que enfatiza a importância de trabalhar em conjunto e fazer sacrifícios pelos colegas de equipe. Ou a tia supercrítica, que ensina que uma parte central de um relacionamento envolve desaprovação em encontrar culpados. Ou o colega de aula que vê todos os relacionamentos através da lente da competição, considerando todos rivais ou adversários. Ou a professora que enfatiza bondade e respeito mútuo e dá exemplos de compaixão em suas interações com as crianças de sua turma.

Todas essas diferentes experiências relacionais programam o cérebro de uma criança para o que um "nós" se parece. Lembre-se de que o cérebro usa experiências repetidas ou associações para prever o que esperar. Quando os relacionamentos são frios e as pessoas são distantes, críticas ou competitivas, isso influencia na maneira como a criança espera que os relacionamentos sejam. Por outro lado, se a criança vive relacionamentos cheios de carinho, conexão e proteção, esse se tornará o modelo para relacionamentos futuros – com amigos, outros membros de diversas comunidades e, por fim, com parceiros românticos e seus próprios filhos.

Não é realmente um exagero dizer que o tipo de relacionamento que você oferece a seus filhos afetará as próximas gerações. Podemos impactar o futuro do mundo cuidando bem de nossos filhos e tendo a intenção de lhes proporcionar tipos de relacionamentos que consideramos normais.

PREPARANDO PARA "NÓS": OFERECENDO EXPERIÊNCIAS QUE LEVAM À CONEXÃO

Além de apresentarmos bons relacionamentos para nossos filhos, precisamos prepará-los para se unirem a outras pessoas, para se tornarem uma parte de um "nós". Afinal, o fato de a mente ser equipada e projetada para se conectar com outros não significa necessariamente que uma criança nasça com habilidades relacionais. Nascer com músculos não nos torna atletas, pois é necessário aprender e praticar habilidades específicas. Da mesma maneira, as crianças não saem do útero querendo dividir seus brinquedos. Suas primeiras palavras não são "vou sacrificar o que quero para fazermos concessões que nos beneficiem mutuamente". Pelo contrário, as palavras que dominam o vocabulário de crianças pequenas – "meu", "eu" e mesmo "não" – enfatizam a falta de compreensão que elas têm do que significa ser parte de um "nós". Assim, elas precisam *aprender* habilidades de visão mental como compartilhar, perdoar, sacrificar e escutar.

Colin, o filho de Ron e Sandy que parece tão egocêntrico, é, em certa medida, um menino bastante normal. Ele apenas ainda não dominou muitas das habilidades de visão mental necessárias para participar como membro contribuinte de uma família. As expectativas de seus pais eram de que, quando tivesse 7 anos, estaria mais integrado à família e disposto a fazer parte de um "nós". Embora esteja melhorando constantemente sua inteligência relacional, ele precisa de prática para continuar seguindo nessa direção.

Isso também vale para uma criança tímida. Lisa, uma mãe que conhecemos, mostrou-nos retratos de um de seus filhos na festa de aniversário de 4 anos de um amigo. Todas as crianças estavam reunidas em um círculo em volta de uma mulher vestida de Dora Aventureira, com exceção do filho de Lisa, Ian, que insistiu em ficar a dois metros de distância do círculo de crianças não tão tímidas. O mesmo acontecia na aula de música. Enquanto as outras crianças cantavam, dançavam e faziam gestos com a música da Dona Aranha, Ian permanecia sentado no colo da mãe e recusava-se a fazer qualquer coisa além de observar tudo timidamente.

Naqueles anos, Lisa e o marido tiveram de se equilibrar sobre a tênue linha que separava estimular novos relacionamentos e forçá-los demais. Contudo, ao darem ao filho repetidas oportunidades de interagir com outras crianças e descobrir como fazer amigos, sempre o apoiando e reconfortando-o quando ficava nervoso ou com medo, eles ajudaram o pequeno introvertido a desenvolver as habilidades sociais de que precisava. Embora Ian ainda não mergulhe rapidamente de cabeça em novas situações sociais, ele se sente muito confortável consigo mesmo e às vezes chega a ser extrovertido. Ele encara as pessoas nos olhos quando fala com elas, levanta a mão na sala de aula e, frequentemente, é o líder do coro de uma interpretação (muito entusiasmada) do grito de guerra da torcida do jogo de beisebol.

Pesquisadores que estudam personalidade humana nos dizem que, em grande parte, a timidez é genética. Na verdade, é parte da constituição central presente no nascimento. No entanto, como no caso de Ian, isso não significa que a timidez não seja modificável até certo grau. Na verdade, a forma como os pais lidam com a timidez dos filhos tem um grande impacto em como as crianças lidam com esse aspecto da personalidade, assim como em quanto serão tímidas no futuro.

A questão é que a criação dos filhos é muito importante, podendo influenciar nosso temperamento inato e moldado geneticamente. Podemos ajudar a preparar nossos filhos a se juntarem a outros e viver relacionamentos significativos, oferecendo-lhes estímulos e oportunidades que os auxiliarão a desenvolver essas habilidades de visão mental. Em seguida, falaremos sobre maneiras específicas de fazer isso. Contudo, primeiro, explicaremos o que queremos dizer com ajudar crianças a serem receptivas para estarem em relacionamentos.

CULTIVANDO UM ESTADO MENTAL "SIM": AJUDANDO AS CRIANÇAS A SEREM RECEPTIVAS A RELACIONAMENTOS

Se queremos preparar as crianças para participarem de um relacionamento como indivíduos saudáveis, precisamos criar dentro delas um estado *aberto* e *receptivo* em vez de um estado *fechado* e *reativo*. Para ilustrar essa situação, veja a seguir um exercício que Dan usa com muitas famílias. Primeiro, ele diz que repetirá uma palavra diversas vezes e pede que todos apenas percebam qual a sensação que a palavra provoca em seus corpos. A primeira palavra é "não", dita com firmeza e severidade sete vezes, com dois segundos entre cada "não". Então, depois de mais uma pausa, ele diz um "sim" claro, mas de certa forma mais suave sete vezes. Depois disso, os pacientes costumam dizer que "não" pareceu sufocante e irritante, como se estivessem sendo reprimidos ou repreendidos. Em contraste, o "sim" fazia-os se sentirem calmos, tranquilos e leves até (Você pode inclusive fechar os olhos agora e tentar fazer o exercício sozinho. Perceba o que aconteceu em seu corpo enquanto você ou um amigo diz "não" e depois "sim" várias vezes.)

Essas duas reações diferentes – os sentimentos "não" e os sentimentos "sim" – demonstram o que queremos dizer quando falamos sobre reatividade versus receptividade. Quando o sistema nervoso está *reativo*, na realidade está em um estado de resposta lutar-fugir-paralisar, com o qual é quase impossível se conectar de uma forma aberta e afetiva com outra pessoa. Você se lembra da amígdala e de outras partes do seu cérebro do andar de baixo que reagem imediatamente, sem pensar, sempre que você se sente ameaçado? Quando todo nosso foco está na autodefesa, não importa o que fizermos, ficaremos sempre naquele estado mental "não", reativo. Ficamos cautelosos, incapazes de nos juntarmos a outras pessoas – ouvindo bem, dando-lhes o benefício da dúvida, levando seus sentimentos em consideração e assim por diante. Mesmo comentários neutros podem se transformar em palavras belicosas, distorcendo o que ouvimos para se encaixar no que tememos. É assim que entramos em um estado reativo e nos preparamos para lutar, fugir ou paralisar.

Por outro lado, quando estamos receptivos, um conjunto diferente de circuitos do cérebro se torna ativo. Para a maioria das pessoas, a parte "sim" do exercício produz uma experiência positiva. Os músculos do rosto e das cordas vocais relaxam, a pressão sanguínea e os batimentos cardíacos normalizam e elas se tornam mais abertas a vivenciar o que quer que o outro queira expressar. Tornam-se mais receptivas. Enquanto a reatividade emerge do nosso cérebro do andar de baixo e nos faz sentir fechados, chateados e na defensiva, um estado receptivo aciona o sistema de engajamento social que envolve um conjunto diferente de circuitos do cérebro do andar de cima que nos conecta com os outros, permitindo que nos sintamos seguros e vistos.

Quando interagimos com nossos filhos, pode ser extremamente útil decifrar se eles se encontram em um estado mental reativo ou receptivo. Isto, é claro, exige visão mental da nossa parte. Precisamos levar em consideração onde nossos filhos estão emocionalmente (e onde nós mesmos estamos) em qualquer momento. Se sua filha de 4 anos de idade está gritando "quero andar mais no balanço!" enquanto você a carrega embaixo do braço para fora do parque, talvez não seja o melhor momento para falar com ela sobre maneiras adequadas de lidar com as grandes emoções. Espere até esse estado reativo passar. Então, quando estiver mais receptiva, fale sobre como gostaria de vê-la reagir da próxima vez em que ficar decepcionada. Da mesma maneira, quando seu filho de 11 anos de idade descobrir que não foi aceito no programa de artes ao qual vinha se dedicando, talvez seja preciso dar um tempo antes de fazer grandes discursos sobre esperança e alternativas. O estado do andar de baixo de reatividade não sabe o que fazer com muitas palavras do andar de cima. Muitas vezes, em momentos de reatividade, comunicações não verbais (como abraços e expressões faciais empáticas) serão muito mais poderosas.

Com o passar do tempo, queremos ajudar nossos filhos a se tornarem mais receptivos aos relacionamentos e a desenvolverem habilidades de visão mental que lhes permitirão se juntar a outros. Então, a receptividade pode levar à ressonância – uma forma de unir de dentro para fora – que lhes permitirá apreciar a profundidade e a intimidade que vêm com relacionamentos significativos. De outra forma, uma criança é deixada à deriva, motivada por uma sensação de isolamento em vez do desejo e da habilidade de se unir.

Uma última observação antes de abordar os passos que podemos dar para estimular a receptividade e as habilidades relacionais: conforme ajudamos as crianças a serem mais receptivas ao se unirem com outras precisamos ter em mente, da mesma forma, a importância de manter suas identidades individuais. Para uma menina de 10 anos de idade que está fazendo tudo a seu alcance para se encaixar em um grupo de meninas cruéis na escola, o problema pode não ser que ela não seja receptiva o bastante para se juntar a um "nós". A preocupação em relação a ela pode ser justamente o contrário, que ela tenha perdido seu "eu" de vista e, portanto, esteja aceitando tudo o que esse grupo de tiranas lhe diz para fazer. Qualquer relacionamento saudável – seja familiar, de amizade, romântico ou outro tipo – é feito de indivíduos saudáveis em conexão com outros. Para se tornar parte de um "nós" funcional, uma pessoa também precisa continuar um "eu" individual. Assim como não queremos nossos filhos sendo apenas cérebro esquerdo ou cérebro direito, também não queremos que sejam apenas individualistas, tornando-se egoístas e isolados, ou apenas relacionais, deixando-os carentes, dependentes e vulneráveis a relacionamentos prejudiciais e negativos. Queremos que tenham o cérebro por inteiro e vivam relacionamentos integrados.

O que você pode fazer: ajudando seu filho a integrar o *self* a outros

ESTRATÉGIA DO CÉREBRO POR INTEIRO Nº 11: AUMENTAR O FATOR DE DIVERSÃO FAMILIAR: TRATANDO DE APRECIAR UNS AOS OUTROS

Você nunca se sente como se estivesse passando a maior parte do tempo disciplinando os filhos ou levando-os de uma atividade a outra, sem tempo suficiente para ficar ao lado deles? Se sim, não está só. A maioria de nós se sente assim de vez em quando. Às vezes, é fácil esquecer como nos divertirmos como família. No entanto, somos fisicamente conectados para nos divertir e explorar, assim como para nos juntar uns com os outros. Na verdade, a "criação de filhos divertida" é uma das melhores maneiras de preparar seus filhos para relacionamentos e estimulá-los a se conectarem com outros, porque lhes dá experiências positivas ao lado das pessoas com quem passam a maior parte do tempo: os pais.

É claro que as crianças precisam de limites e ser responsabilizadas por seus comportamentos, mas enquanto mantiver a autoridade, não se esqueça de se divertir com seus filhos. Jogue jogos. Conte piadas. Seja bobo. Demonstre interesse pelo que eles gostam. Quanto mais apreciarem o tempo que passam com você e o restante da família, mais valorizarão os relacionamentos e desejarão mais experiências relacionais positivas e saudáveis no futuro.

O motivo é simples: com cada experiência divertida e agradável que proporcionamos a nossos filhos enquanto estão com a família, damos a eles reforço positivo sobre o que significa estar em relacionamentos amorosos com outras pessoas. Um dos elementos químicos no cérebro responsáveis por esses momentos agradáveis é a dopamina, um neurotransmissor que permite a comunicação entre as células cerebrais. Tais células recebem o que algumas pessoas chamam de "jatos de dopamina" quando algo agradável acontece e isso nos motiva a querer fazer isso novamente. Cientistas que estudam dependências apontam altas doses de dopamina como fatores que levam as pessoas a manter determinados hábitos ou vícios, mesmo quando sabem que lhes fazem mal. Contudo, também podemos ajudar a produzir jatos de dopamina que reforçam desejos positivos e saudáveis ao apreciarmos relacionamentos familiares. A dopamina é o elemento químico da recompensa – e diversão e alegria são recompensadores em nossa vida.

Isso quer dizer que, quando seu filho dá gritos de encantamento quando você "morre" com o golpe da espada de Peter Pan dele, quando você e sua filha dançam juntos em um show ou na sala de estar, ou quando você e seus filhos trabalham juntos em um projeto de jardinagem ou construção, a experiência fortalece esses laços e ensina a seus filhos que relacionamentos são afirmativos, recompensadores e gratificantes. Então, dê-lhes uma chance, quem sabe já esta noite. Depois do jantar, diga: "Levem o prato para a cozinha, depois peguem um cobertor e me encontrem na sala. Esta noite vamos comer picolés em um forte!".

Outra atividade familiar divertida que também ensina a ser receptivo são os jogos de improvisação. O conceito básico é parecido com o que comediantes de improvisação fazem quando a plateia lhes dá sugestões e eles precisam pegar ideias aleatórias e combiná-las de maneiras divertidas que façam algum sentido. Se você e seus filhos têm dons artísticos, podem fazer esse tipo de improvisação juntos. Mas há também versões mais simples dessa atividade. Deixe alguém começar a história, então, depois de uma frase, a pessoa seguinte precisa acrescentar algo, seguida de outra pessoa, e assim por diante. Jogos e atividades desse tipo não só mantêm o fator de diversão familiar presente, mas também possibilitam que as crianças sejam receptivas às viradas inesperadas que a vida lhes apresenta. Você não quer transformar o jogo em uma experiência séria de sala de aula, mas procure formas de conectar explicitamente o que você está fazendo com o conceito de receptividade. Espontaneidade e criatividade são habilidades importantes, e a novidade também faz a dopamina entrar em ação.

O princípio do fator de diversão que você proporciona a seus filhos também se aplica a irmãos. Estudos recentes descobriram que o melhor indicador para bons relacionamentos entre irmãos no futuro é o quanto se divertiram juntos na infância. O índice de conflito pode até ter sido alto, mas será equilibrado caso tenham se divertido muito. Há perigo real apenas quando os irmãos ignoraram uns aos outros. Pode ter havido menos tensão, mas essa também é uma receita para relacionamentos frios e distantes quando adultos.

Então, se você quer desenvolver relacionamentos próximos entre seus filhos no longo prazo, pense nisso como uma equação matemática, em que a quantidade de diversão que eles compartilham deve ser maior do que o conflito que vivem. Você nunca conseguirá que o lado do conflito da equação seja igual a zero. Irmãos brigam. Eles simplesmente fazem isso. Mas se você conseguir aumentar o outro lado da equação, oferecendo a eles atividades que produzam emoções e memórias positivas, criará fortes laços entre eles e estabelecerá um relacionamento com boas chances de se manter sólido durante toda a vida.

Parte da diversão entre irmãos ocorrerá naturalmente, mas você também pode ajudar. Abra uma nova caixa de giz e faça-os desenhar um monstro maluco juntos. Deixe-os usar a câmera de vídeo para filmarem essa façanha. Junte-os em uma equipe para executar um projeto surpresa e presentear o avô. Qualquer que seja a forma escolhida – passear de bicicleta em família, brincar com jogos de tabuleiro, fazer cookies, juntar-se contra a mamãe em um ataque de pistolas-d'água –, encontre maneiras de ajudar seus filhos a se divertirem juntos e a fortalecerem os laços que os unem.

Você pode usar a diversão, e mesmo a tolice, para mudar o estado mental de seus filhos quando ficarem empacados em um estado de raiva ou desafiador. Às vezes, não estarão com ânimo de vê-lo fazendo graça ou palhaçadas, então seja sensível aos sinais que receber, especialmente com crianças mais velhas. Se você for sensível a como seu bom humor será recebido, isso poderá ajudar seus filhos a mudar o modo como estão se sentindo.

Seu estado mental pode influenciar o estado mental de seus filhos, podendo transformar a chateação e a irritabilidade em diversão, risos e conexão.

ESTRATÉGIA 10
EM VEZ DE "ORDENAR E EXIGIR"

TENTE CRIAR SEUS FILHOS DE MODO DIVERTIDO

ESTRATÉGIA DO CÉREBRO POR INTEIRO Nº 12:

CONECTAR POR MEIO DO CONFLITO: ENSINANDO AS CRIANÇAS A ARGUMENTAR COM UM "NÓS" EM MENTE

Desejamos ajudar nossos filhos a evitar qualquer conflito, mas nem sempre conseguimos isso. Se eles terão relacionamentos, enfrentarão brigas e discordâncias. No entanto, podemos ensinar a eles algumas habilidades básicas de visão mental para que saibam como gerenciar conflitos de maneira saudável e produtiva e como reagir quando a situação não lhes for favorável ao interagirem com outras pessoas.

Mais uma vez, cada nova discordância é mais do que apenas uma dificuldade a enfrentar, e sim uma oportunidade para você lhes ensinar lições importantes para que consigam prosperar em termos de relacionamentos. Como lidar bem com conflitos não é fácil nem mesmo para adultos, então não podemos esperar muito de nossos filhos. Mas há algumas habilidades simples que podemos ensinar a eles que nos ajudarão a sobreviver a conflitos individuais, assim como os auxiliar a prosperar conforme avançam rumo à vida adulta. Vamos avaliar três dessas habilidades formadoras de visão mental.

VER ATRAVÉS DOS OLHOS DO OUTRO: AJUDAR AS CRIANÇAS A RECONHECEREM OUTROS PONTOS DE VISTA

Esta história parece familiar? Você está trabalhando na sua mesa e sua filha de 7 anos se aproxima. Ela está irritada e diz que o irmão mais novo, Mark, acabou de chamá-la de burra. Você pergunta por que ele disse isso e sua filha é enérgica ao dizer que não há motivo – ele simplesmente disse!

Pode ser difícil para qualquer um de nós ver as coisas pela perspectiva de outra pessoa. Nós vemos o que vemos e frequentemente apenas o que *queremos* ver. Mas, quanto mais conseguimos usar nossa visão mental para ver os acontecimentos através dos olhos de outras pessoas, melhores são nossas chances de resolver conflitos de maneira saudável.

Essa é uma habilidade difícil de ensinar para crianças, especialmente em meio a uma discussão acalorada. Mas se conseguirmos nos manter conscientes do que estamos realmente dizendo, teremos mais chances de ensinar as lições que queremos. Por exemplo, sua tendência pode ser dizer: "Bem, o que você fez para Mark? Tenho certeza de que ele não a chamou de burra sem motivo!".

Se você mantiver a calma e continuar consciente do que quer ensinar, talvez conduza a conversa de um modo um pouco diferente. Primeiro, é bom demonstrar ter consciência dos sentimentos da sua filha (lembre-se de se conectar primeiro e, depois, redirecionar). Isso diminuirá o nível de atitude defensiva dela e a fará ver como o irmão se sente. Então você poderá criar algum tipo de empatia nela.

É verdade que nem sempre conseguiremos acessar nossos filhos, mas ao fazermos perguntas sobre como a outra pessoa se sente, sobre por que alguém reagiu como reagiu, podemos estimular a empatia em nossos filhos. O ato de levar em consideração a mente do outro exige que usemos nosso hemisfério direito e nosso cérebro do andar de cima, ambos integrantes da parte do circuito social que nos permite relacionamentos maduros e recompensadores.

ESTRATÉGIA 11
EM VEZ DE "DESPREZAR E NEGAR"...

- Mamãe, Mark me chamou de burra.
- O que você fez a ele?
- Nada. Estávamos só conversando e ele disse isso.
- Fique longe dele por um tempo. Vocês dois estão mal-humorados no momento.

TENTE CONECTAR POR MEIO DO CONFLITO

- Mamãe, Mark me chamou de burra.
- Nossa, por que você acha que ele disse isso?
- Bom, talvez porque eu tenha zombado do desenho dele. Mas só estava brincando.

- Era o desenho em que ele estava trabalhando tanto?
- Sim.
- Será que não foi por isso que ele ficou tão bravo?

CAPÍTULO 6

OUVIR O QUE NÃO ESTÁ SENDO DITO:
INSTRUIR AS CRIANÇAS SOBRE COMUNICAÇÃO NÃO VERBAL E SINTONIA COM OS OUTROS

É ótimo que ensinemos nossos filhos a prestarem atenção ao que as pessoas estão dizendo: "Ouça o que ele disse. Ele falou que não *queria* ser molhado com a mangueira!". Contudo, uma parte importante dos relacionamentos é ouvir o que não está sendo dito. Normalmente, as crianças não têm essa habilidade naturalmente. É por isso que quando você repreende seu filho por ter feito a irmã chorar ao ter mergulhado os biscoitos dele no iogurte dela, ele responde: "Mas ela gosta disso! Estamos brincando".

Como sinais não verbais às vezes comunicam ainda mais do que palavras, precisamos ajudar nossos filhos a usarem o hemisfério direito para compreender o que outras pessoas estão dizendo, mesmo que elas sequer abram a boca. Com o sistema de neurônios espelhos já em funcionamento, todas as crianças precisam que nós as ajudemos a tornar explícito o que seus neurônios espelhos estão comunicando. Por exemplo, depois de ganhar um importante jogo de futebol, seu filho pode precisar que você o ajude a perceber que o amigo dele do outro time está precisando ser animado, mesmo que diga que está bem. Como prova disso, você pode atentar para a linguagem corporal e as expressões faciais do amigo – ombros caídos, cabeça baixa, rosto abatido. Ao ajudar seu filho a fazer essas simples observações, você aumentará sua visão mental e, pelo restante da vida, ele estará mais bem equipado para ler os outros e sintonizar-se com seus sentimentos.

REPARAR: ENSINE AS CRIANÇAS A ACERTAREM AS COISAS DEPOIS DE UM CONFLITO

Sabemos a importância de pedir desculpas e ensinamos nossos filhos a dizer isso. Contudo, as crianças também precisam se dar conta que, às vezes, isso é apenas o começo. Às vezes, precisam fazer algo para corrigir o que quer que tenham feito de errado.

A situação pode demandar uma resposta específica e direta: consertar ou substituir um brinquedo quebrado ou ajudar a reconstruir algum projeto. Ou quem sabe dar uma resposta mais relacional, como fazer um desenho para a outra pessoa, praticar algum ato gentil ou escrever uma carta pedindo desculpas. A questão é que você está ajudando seus filhos a demonstrarem atos de amor e contrição que indicam que eles imaginaram os pensamentos do outro e querem descobrir uma maneira de reparar a ruptura que houve no relacionamento.

Isso se conecta diretamente com as duas estratégias anteriores de cérebro por inteiro sobre ter empatia e sintonizar com os sentimentos dos outros. Para agir corretamente, as crianças precisam compreender como o outro está se sentindo e por que está chateado. Então, os pais podem levantar de maneira mais proveitosa a seguinte questão: "Se fosse você e seu objeto preferido tivesse sido quebrado, o que o faria se sentir melhor?". Cada novo movimento em direção a considerar os sentimentos de outras pessoas cria conexões mais fortes no circuito relacional do cérebro. Quando abrimos caminho em meio a atitudes defensivas e à relutância de nossos filhos para aceitarem suas responsabilidades, podemos ajudá-los a se preocuparem com quem possam ter magoado e a fazerem esforços para obter reconexão. Nós os ajudamos a desenvolver visão mental. Às vezes, um sincero pedido de desculpa basta, especialmente se for honesto: "Fiz aquilo porque estava com inveja. Sinto muito!". Mas as crianças também precisam aprender o que significa ir um pouco além e dar passos específicos rumo à reconciliação.

Vamos voltar a Colin, o menino de 7 anos cujos pais achavam que estava se tornando egoísta demais. Queríamos poder oferecer a Ron e Sandy uma espécie de solução mágica, uma cura para o egocentrismo e todas as outras frustrações de desenvolvimento que enfrentam com o filho. Contudo, evidentemente, não podemos fazer isso. A boa notícia, porém, é que simplesmente amando Colin e ajudando-o a ver os benefícios dos relacionamentos – começando com suas interações com os pais e o irmão –, Ron e Sandy estão auxiliando-o a entender a importância de compreender os outros e conectar-se com eles.

Além disso, ao enfatizarem as habilidades de "conectar por meio de conflito", eles podem ajudá-lo a continuar levando os sentimentos dos outros em consideração. Por exemplo, quando Colin redecorou o quarto e tirou os objetos do irmão do lugar, aquilo serviu como um momento de ensinamento, em que os pais poderiam ajudá-lo a aprender muito sobre estar em um relacionamento. Frequentemente nos esquecemos de que "disciplinar" na realidade significa "ensinar" – e não "punir". Um discípulo é um aluno, não um receptor de consequências comportamentais. Quando ensinamos visão mental, pegamos momentos de conflito e os transformamos em oportunidades de aprendizado, construção de habilidades e desenvolvimento do cérebro.

Nesse momento, Ron podia pedir que Colin olhasse para o irmão, que chorava enquanto recolhia e esticava seus diversos desenhos, e percebesse as evidências não verbais do quanto Logan estava magoado. Isso poderia suscitar uma discussão cuidadosa sobre como Logan viu a cena – os desenhos amassados, os troféus arremessados. Simplesmente fazer Colin realmente ver a perspectiva de Logan seria um progresso bem significativo, com benefícios duradouros. Um simples castigo poderia ou não ensinar a Colin que não deveria mexer nas coisas do irmão sem permissão, mas isso não se generalizaria em uma habilidade de visão mental.

Finalmente, Ron e Sandy poderiam discutir o que deveria acontecer para resolver a situação, incluindo fazer Colin pedir desculpas e trabalhar com Logan para criar alguns desenhos novos para pendurar na parede compartilhada do quarto. Ao escolher usar essa situação para estimular o crescimento e transmitir ensinamentos, em vez de evitá-la como um obstáculo desagradável, os pais de Colin poderiam converter um pouco do conflito relativamente intenso em um momento de prosperidade e ajudar ambos os filhos a aprenderem lições importantes sobre o que significa estar em um relacionamento. O segredo é abrir as lentes da visão mental para tornar a percepção do mundo interior de cada menino disponível para inspeção.

A visão mental permite que as crianças percebam a importância da vida interior dos pensamentos e sentimentos. Sem esse desenvolvimento, os comportamentos tornam-se apenas interações às quais elas reagem a partir da superfície, algo com que precisam "lidar" como uma reação automática, sem reflexão. Os pais são os primeiros professores de visão mental das crianças ao utilizarem momentos desafiadores para engajar os circuitos de reflexão delas para ver nossos mundos interiores compartilhados. Conforme desenvolvem essas habilidades de visão mental, as crianças aprendem a equilibrar a importância de suas próprias vidas interiores com as dos outros. Essas habilidades ponderadas são também a base de como aprendem a equilibrar as próprias emoções ao mesmo tempo que compreendem a vida emocional das pessoas ao redor delas. A visão mental é a base tanto da inteligência social quanto da inteligência emocional, possibilitando que as crianças aprendam que fazem parte de um mundo maior de relacionamentos em que os sentimentos têm importância e as conexões são uma fonte de recompensa, significado e diversão.

Crianças com cérebro por inteiro: instrua seus filhos a integrar o *self* com o outro

Agora que você aprendeu um pouco sobre visão mental, eis algo que poderá ler para seus filhos para apresentar o conceito de ver a própria mente e as mentes um do outro.

CAPÍTULO 6

CRIANÇAS COM CÉREBRO POR INTEIRO: INSTRUA SEUS FILHOS A INTEGRAR O *SELF* COM O OUTRO

EU E NÓS

VISÃO MENTAL = VER COM A MENTE

Assim como "visão ocular" é ver com os olhos, "visão mental" é ver com a mente. Significa duas coisas...

Primeiro, significa olhar para dentro da própria mente para ver o que está acontecendo ali. A visão mental permite que você preste atenção às imagens na sua cabeça, aos pensamentos na sua mente, às emoções que você sente e às sensações no seu corpo. Ajuda você a se conhecer melhor.

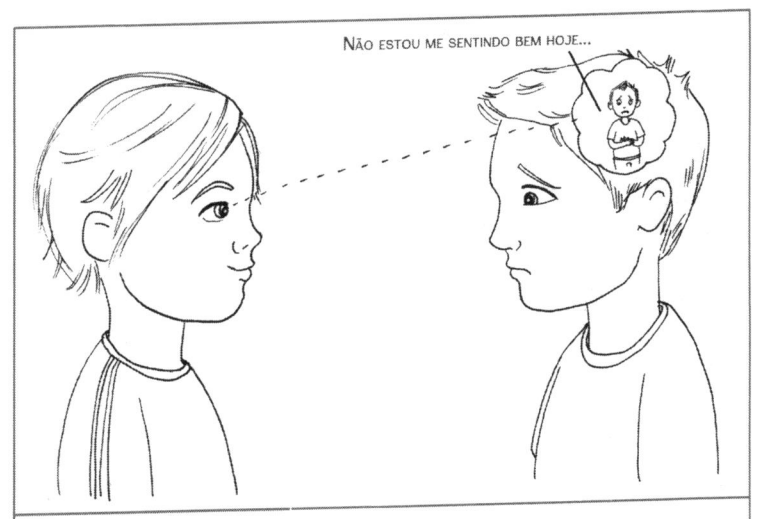

Não estou me sentindo bem hoje...

A segunda parte da visão mental é ver a mente de outra pessoa e tentar olhar para as coisas da maneira como ela olha.

POR EXEMPLO:

Drew voltou para casa depois de ter brincado na casa de Tim e contou ao pai que ele e seu amigo haviam brigado para decidir quem usaria a nova pistola-d'água de Tim e quem usaria a velha. Ambos acabaram decidindo por revezarem os brinquedos, mas, quando chegou em casa, Drew ainda estava chateado.

Ele explicou que, como era a visita, achou que Tim deveria tê-lo deixado usar a arma. O pai de Drew escutou-o e disse que o compreendia. Então, perguntou: "Por que você acha que Tim queria tanto aquela arma?".

Drew pensou por um instante: "Porque era a arma nova dele e ele ainda não havia conseguido brincar com ela?". Naquele momento, Drew usou sua visão mental para compreender os sentimentos de Tim. Ele não estava mais irritado.

Da próxima vez que ficar chateado com alguém, use sua própria visão mental para ver como a outra pessoa se sente. Especialmente quando discutir com alguém ou se sentir frustrado em relação a essa pessoa, poderá ser realmente muito útil usar a sua visão mental para ver o que ela pode estar pensando ou sentindo. Isso poderá fazer vocês se sentirem muito mais felizes.

Integrando a nós mesmos: encontrando sentido em nossa própria história

O "nós" mais importante da nossa vida como pais é o relacionamento que temos com nossos filhos. Esse relacionamento causa um impacto significativo no futuro deles. Pesquisas demonstraram seguidamente que quando os pais oferecem experiências repetidas e previsíveis nas quais veem e reagem sensivelmente às emoções e às necessidades dos filhos, estes prosperam – social, emocional, física e até mesmo academicamente. Embora não seja nenhuma revelação que as crianças se saem melhor quando vivem relacionamentos intensos com os pais, o que pode surpreender é o que esse tipo de conexão pai-filho produz. O que importa não é a forma como nossos pais nos criaram ou quantos livros sobre criar filhos lemos. Na verdade, a competência com que encontramos sentido em nossas experiências com nossos pais e o quanto somos sensíveis a nossos filhos é o que influenciará mais intensamente nosso relacionamento com eles e, portanto, o quanto crescerão.

Tudo se resume ao que chamamos de nossa narrativa de vida, a história que contamos quando olhamos para quem somos e como nos tornamos a pessoa que somos. Nossa narrativa de vida determina nossos sentimentos sobre nosso passado, nossa compreensão de por que pessoas (como nossos pais) se comportaram da forma como se comportaram e nossa consciência da forma como esses acontecimentos influíram em nosso desenvolvimento até a vida adulta. Quando temos uma narrativa de vida coerente, encontramos sentido em como o passado contribuiu para quem somos e o que fazemos.

Uma narrativa de vida que não tenha sido examinada e feito sentido pode nos limitar no presente e também nos fazer criar nossos filhos de maneira reativa e lhes passar o mesmo legado doloroso que nos afetou negativamente em nossos primeiros dias de vida. Por exemplo, imagine que seu pai teve uma infância difícil. Talvez a casa dele fosse um deserto emocional, em que os pais não o reconfortavam quando ele ficava com medo ou triste, sendo até mesmo frios e distantes, deixando-o cuidar de suas dificuldades de vida sozinho. Se eles não conseguiram prestar atenção nele e em suas emoções, ele se feriu de maneiras significativas. Como resultado disso, chegou à vida adulta limitado em sua capacidade de lhe dar o que você precisava como filho dele. Ele tornou-se incapaz de ter intimidade e relacionamentos. Teve dificuldades em atender a suas emoções e necessidades, dizendo-lhe que precisava "endurecer" quando se sentisse triste, sozinho ou com medo. Tudo isso resultou de memórias implícitas das quais ele não tinha consciência. Então você, ao se tornar adulto e também pai, correrá o risco de passar adiante os mesmos padrões prejudiciais para seus filhos. Essa é a má notícia.

No entanto, a boa notícia – a notícia mais do que boa – é que se você encontrar sentido em suas experiências e *compreender* os ferimentos e as limitações relacionais do seu pai, poderá romper o ciclo de passar essa dor adiante. Poderá começar a refletir sobre essas experiências e sobre como o afetaram.

Você pode ficar tentado a simplesmente criar seus filhos de uma maneira exatamente oposta à dos seus pais. Mas a ideia, em vez disso, é refletir abertamente sobre como suas experiências com seus pais o afetaram. Talvez você precise lidar com memórias implícitas que o estejam influenciando sem que você perceba. Às vezes, pode ser útil fazer esse trabalho com um terapeuta ou dividir experiências com um amigo. Qualquer que seja a forma como fizer isso, é importante ter clareza em relação à própria história, porque, através dos neurônios espelhos e da memória implícita, passamos nossa vida emocional diretamente para nossos filhos – para o bem e para o mal. Saber que nossos filhos vivem com e através tudo o que estamos vivenciando é uma percepção poderosa que pode nos motivar a começar e continuar nossa jornada no caminho da compreensão de nossas próprias histórias, das alegrias e também das dores. Então, conseguimos nos sintonizar com as necessidades e os sinais de nossos filhos, criando um apego seguro e uma conexão forte e saudável.

CAPÍTULO 6

Uma pesquisa mostrou que mesmo adultos que tiveram uma infância longe de ser ideal podem criar filhos com a mesma qualidade, tão amados e apegados como aqueles cuja vida familiar foi mais consistente e amorosa. Nunca é tarde para começar a trabalhar a sua narrativa de vida coerente e, ao fazer isso, seus filhos colherão as recompensas.

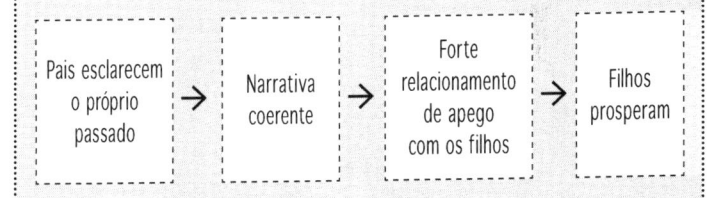

Pais esclarecem o próprio passado → Narrativa coerente → Forte relacionamento de apego com os filhos → Filhos prosperam

Queremos deixar essa questão o mais clara possível: experiências iniciais não são destino. Ao encontrar sentido em nosso passado, podemos nos libertar do que, de outra forma, poderia ser um legado transgeracional de dor e apego inseguro e, em vez disso, criar uma herança de cuidados e amor por nossos filhos.

CONCLUSÃO
JUNTANDO TUDO

Temos esperanças e sonhos para nossos filhos. A maioria de nós quer que eles sejam felizes, saudáveis e completamente eles mesmos. Ao longo deste livro, nossa mensagem foi que você pode ajudar a criar essa realidade para seus filhos, prestando atenção às experiências comuns que divide com eles no dia a dia. Use momentos óbvios de ensinamento e desafios difíceis e mesmo os triviais momentos "nada está acontecendo" como oportunidades para preparar seus filhos para serem felizes e bem-sucedidos, terem bons relacionamentos e se sentirem satisfeitos com quem são, ou seja, serem crianças com cérebro por inteiro.

Um dos principais benefícios da perspectiva do cérebro por inteiro é que nos capacita a amenizar os desafios diários de criar filhos, permitindo-nos ir muito além da mera sobrevivência. Essa abordagem promove conexão e uma compreensão mais profunda entre nós e eles. Uma consciência de integração nos dá competência e confiança para lidar com várias situações de maneira que nos tornemos mais próximos deles, conhecendo suas mentes e, portanto, ajudando-os a moldá-las de forma positiva e saudável. Como resultado disso, não apenas nossos filhos progredirão, mas também nosso relacionamento com eles prosperará.

Assim, a criação de filhos com cérebro por inteiro não se trata apenas de quem nosso filho adorável – e, às vezes, sem dúvida, irritante – é neste momento, mas também de quem se tornará no futuro. Também se relaciona com a integração do cérebro dele, a proteção de sua mente, proporcionando--lhe habilidades que o beneficiarão desde a adolescência até a vida adulta. Ao estimularmos a integração em nossos filhos e ajudarmos a desenvolver o cérebro do andar de cima, nós os preparamos para serem melhores amigos, maridos e mulheres e pais. Por exemplo, quando uma criança aprende a examinar os pensamentos, sentimentos, imagens e sensações em sua mente, terá uma compreensão muito mais profunda de si mesma, portanto será mais capaz de se controlar e se conectar com outros. Da mesma forma, ao ensinarmos mais sobre conectar por meio do conflito, damos a nossos filhos o valioso presente de poder ver que mesmo discussões desagradáveis são oportunidades para nos envolvermos e aprenderemos com a mente dos outros. Integração tem a ver com sobreviver e prosperar e com o bem-estar de nossos filhos agora e no futuro.

É extraordinário quando pensamos no impacto geracional da abordagem do cérebro por inteiro. Você se dá conta do poder que tem agora para realizar mudanças positivas no futuro? Ao dar a seus filhos o presente de usar seus cérebros por inteiro, você está transformando não apenas a vida deles, mas também a das pessoas com quem eles interagem. Lembra-se dos neurônios espelhos e de como é o cérebro social? Como explicamos, o cérebro do seu filho não é um órgão isolado, um "crânio único" agindo em um vácuo. O *self*, a família e a comunidade são fundamentalmente conectados neurologicamente. Mesmo com vidas ocupadas, movimentadas e frequentemente isoladas, conseguimos recordar esta realidade fundamental: somos todos interdependentes e conectados uns com os outros.

Crianças que aprendem essa verdade têm a chance não apenas de desenvolver felicidade, significado e sabedoria em suas próprias vidas, mas também de passar seus conhecimentos para os outros. Por exemplo, quando você ajuda seus filhos a usarem o controle remoto interno para tornar implícitas as memórias explícitas, está auxiliando a criar dentro deles a habilidade de autorreflexão que os tornará muito mais capazes de interagir significativamente com outras pessoas ao longo da vida. Isso também se aplica ao ensinar-lhes a roda da consciência. Uma vez que compreenderem a integração das muitas partes de si mesmos, serão capazes de compreender a si mesmos muito mais profundamente e *escolher ativamente* como interagem com as pessoas ao seu redor. Podem ser os capitães dos navios de suas vidas, evitando com mais facilidade as margens de caos e rigidez e permanecendo mais frequentemente no harmonioso fluxo do bem-estar.

Ensinar integração e como aplicá-la na vida cotidiana produz efeitos profundos e duradouros nas pessoas. Em crianças, essa abordagem pode mudar a direção de como se desenvolvem e estabelecer as bases para uma vida repleta de significados, bondade, flexibilidade e resiliência. Algumas crianças criadas com a abordagem do cérebro por inteiro dizem coisas que mais parecem vir de crianças muito mais velhas. Um menino de 3 anos que conhecemos se tornou tão bom em identificar e comunicar emoções aparentemente contraditórias que, depois de passar uma noite com a babá, disse aos pais: "Senti saudades de vocês quando saíram, mas também me diverti com a Katie". Uma menina de 7 anos disse aos pais, a caminho de um piquenique de família: "Decidi não fazer drama por causa do meu dedo machucado no parque. Vou simplesmente dizer a todo mundo que me machuquei e depois brincar mesmo assim". Esse nível de autoconhecimento pode parecer impressionante em crianças tão pequenas, mas mostra o que é possível com a abordagem do cérebro por inteiro. Quando nos tornamos autores ativos de nossa história de vida, e não apenas o escriba passivo da história que se desenrola, podemos criar uma vida que amamos.

Perceba como esse tipo de autoconhecimento pode gerar relacionamentos mais saudáveis no futuro e, especialmente, o que isso pode significar para os filhos de nossos filhos quando se tornarem pais. Ao criar um filho com cérebro por inteiro, na realidade, estamos oferecendo um presente importante a nossos futuros netos. Por um instante, feche os olhos e imagine seu filho segurando o filho dele, e perceba o poder do que você está passando adiante. Isso não para por aqui. Seus netos poderão pegar o que aprenderam dos pais e passar mais adiante, como um legado contínuo de alegria e felicidade. Imagine ver seus filhos se conectarem e redirecionarem com seus netos! É assim que integramos nossas vidas através de gerações.

Esperamos que esse tipo de autoconsciência inspire você a se tornar o pai que deseja ser. Às vezes, distanciamo-nos de nossos ideais e muito do que compartilhamos exige um verdadeiro esforço nosso e de nossos filhos. Não é sempre fácil, afinal, voltar e contar novamente histórias sobre experiências dolorosas ou se lembrar de envolver o andar de cima quando nossos filhos estão chateados em vez de ativar o andar de baixo. Cada estratégia do cérebro por inteiro oferece passos práticos que podemos executar imediatamente para tornar nossa vida em família melhor e mais manejável. Você não precisa se tornar um superpai e nem seguir uma agenda predeterminada que programe seus filhos para serem crianças robotizadas ideais. Você cometerá muitos erros (assim como nós) e seus filhos também (assim como nossos filhos). Contudo, a beleza da perspectiva do cérebro por inteiro é permitir que você compreenda que *mesmo os erros são oportunidades* para crescer e aprender. Essa abordagem envolve ser intencional sobre o que se está fazendo e aonde se está indo e, ao mesmo tempo, aceitar que somos todos humanos. Intenção e atenção são as nossas metas, e não uma expectativa rígida de perfeição.

Depois que você descobrir a abordagem do cérebro por inteiro, provavelmente desejará dividi-la com outras pessoas da sua vida que se juntarão a você nessa grande responsabilidade de criar o futuro. Pais com cérebro por inteiro têm entusiasmo em dividir o que sabem com outros pais, assim como com professores e cuidadores que podem trabalhar como uma equipe para promover a saúde e o bem-estar de seus filhos. Quando criamos uma família com cérebro por inteiro, também nos unimos a uma visão mais ampla de criar toda uma sociedade repleta de comunidades relacionais e ricas nas quais o bem-estar emocional é alimentado para esta e as futuras gerações. Somos todos sináptica e socialmente conectados, e trazer a integração para nossas vidas cria um mundo de bem-estar.

Acreditamos veementemente no impacto positivo que os pais podem ter sobre os filhos e a sociedade como um todo. Não há nada mais importante que você consiga fazer como pai ou mãe do que ser intencional sobre a forma como está moldando a mente dos seus filhos. O que você faz é fundamental.

Dito isso, não se pressione demais. É essencial aproveitar os momentos que você tem com seus filhos, mas não é realista pensar que poderá fazer isso em tempo integral. A ideia é permanecer consciente das oportunidades diárias para alimentar o desenvolvimento dos seus filhos, sem estar constantemente falando sobre o cérebro ou estimulando sempre seus filhos a recordarem acontecimentos importantes de suas vidas. É igualmente importante relaxar e se divertir juntos. E, sim, às vezes não tem problema deixar um momento de ensinamento passar.

Toda essa conversa sobre o poder de moldar a mente de seus filhos e influenciar o futuro pode parecer intimidadora no começo, especialmente se considerarmos que os genes e as experiências afetam as crianças de diversas maneiras que os pais simplesmente não podem controlar. Se você realmente entendeu o conceito de *O cérebro da criança*, sabe que é possível se libertar dos medos de não estar fazendo um trabalho bom o suficiente com seus filhos. Não é sua responsabilidade evitar todos os erros nem retirar todos os obstáculos da frente deles. Ao contrário, sua função é estar sempre presente e conectar-se com eles durante os altos e baixos da jornada da vida.

A ótima notícia que *O cérebro da criança* traz é que mesmo os momentos mais difíceis que enfrentamos com nossos filhos e até os erros que cometemos como pais são oportunidades para ajudá-los a crescer, aprender e se desenvolver como seres felizes, saudáveis e completamente eles mesmos. Em vez de ignorar grandes emoções ou desviar a atenção de seus filhos das dificuldades, você pode alimentar o cérebro deles *auxiliando-os a enfrentar esses desafios*, estando sempre presente, fortalecendo o laço familiar e ajudando-os a se sentirem sentidos, ouvidos e cuidados. Esperamos que o que compartilhamos nestas páginas lhe inspire a criar uma base sólida para seus filhos e a sua família agora, nos próximos anos e gerações.

FICHA PARA A GELADEIRA

O CÉREBRO DA CRIANÇA

de Daniel J. Siegel e Tina Payne Bryson

INTEGRANDO OS CÉREBROS ESQUERDO E DIREITO

Esquerdo + direito = clareza e compreensão:
- Ajude seus filhos a usarem tanto o cérebro esquerdo, lógico, quanto o cérebro direito, emocional, como uma equipe.

O que você pode fazer:
- *Conectar e redirecionar:* quando seus filhos estiverem chateados, conecte-se, primeiro emocionalmente, cérebro direito com cérebro direito. Então, depois que estiverem mais controlados e receptivos, traga as lições e a disciplina do cérebro esquerdo.

- *Nomear para disciplinar:* quando grandes emoções do cérebro direito estiverem saindo do controle, ajude seus filhos a contar a história sobre o que os está incomodando, para que o cérebro esquerdo deles possa encontrar sentido na experiência e eles possam se sentir no controle da situação.

INTEGRANDO OS ANDARES DE CIMA E DE BAIXO DO CÉREBRO

Desenvolva o cérebro do andar de cima:
- Fique atento às formas de ajudar a construir o sofisticado cérebro do andar de cima, que está "em construção" durante a infância e a adolescência e pode ser "sequestrado" pelo cérebro do andar de baixo, especialmente em situações de grande emoção.

O que você pode fazer:
- *Envolver, não enfurecer:* em situações de alto nível de estresse, envolva o cérebro do andar de cima de seus filhos em vez de ativar o do andar de baixo. Não use imediatamente a carta do "porque sim!". Em vez disso, faça perguntas, solicite alternativas, negocie.

- *Usar ou perder:* ofereça oportunidades de exercitar o cérebro do andar de cima. Brinque com jogos do tipo "O que você faria?" e evite salvar as crianças das decisões difíceis.

- *Mover ou perder:* quando uma criança perder o contato com o cérebro do andar de cima, ajude-a a recuperar o equilíbrio, fazendo-a movimentar o corpo.

INTEGRANDO A MEMÓRIA

Torne o implícito explícito:

• Ajude seus filhos a tornarem explícitas as memórias implícitas, para que as experiências passadas não os afetem de maneiras debilitantes.

O que você pode fazer:

• *Usar o controle remoto da mente:* quando uma criança reluta em narrar um acontecimento doloroso, o controle remoto interno permite que ela pause, retroceda e avance a história conforme ela a conta, de modo a manter o controle sobre o quanto vê.

• *Lembrar para lembrar:* ajude seus filhos a exercitarem a memória, fazendo-os recordar acontecimentos importantes: no carro, à mesa do jantar, em qualquer lugar.

INTEGRANDO AS MUITAS PARTES DE MIM MESMO

A roda da consciência:

• Quando seus filhos empacarem em um ponto particular do aro da roda da consciência deles, ajude-os a escolher onde focar a atenção para terem mais controle sobre como se sentem.

O que você pode fazer:

• *Deixar as nuvens de emoções passarem:* lembre às crianças que os sentimentos vêm e vão. São estados temporários, não características duradouras.

• *Examinar:* ajude seus filhos a prestarem atenção a pensamentos, sentimentos, imagens e sensações dentro deles.

• *Exercitar a visão mental:* a prática da visão mental ensina as crianças a se acalmarem sozinhas e a focarem a atenção onde quiserem.

INTEGRANDO O *SELF* E OUTROS

Programado para "nós":

• Fique atento a formas de capitalizar a capacidade intrínseca de interação social do cérebro. Crie modelos mentais positivos de relacionamentos.

O que você pode fazer:

• *Curtir uns aos outros:* leve diversão à família, para que seus filhos tenham experiências positivas e satisfatórias com as pessoas com quem passam mais tempo.

• *Conectar por meio do conflito:* em vez de um obstáculo a evitar, veja o conflito como uma oportunidade de ensinar a seus filhos habilidades básicas de relacionamento, como entender o ponto de vista das outras pessoas, ler sinais não verbais e fazer reparações.

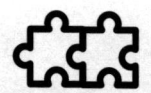

IDADES E FASES DO CÉREBRO POR INTEIRO

Conforme seus filhos ficam mais velhos, talvez você queira aplicar as doze estratégias do cérebro por inteiro a cada nova idade e fase. Com isso em mente, reunimos as tabelas a seguir, que você pode usar como guia de referência sempre que necessitar de uma atualização rápida. Parte do que recomendamos se sobreporá por meio de diferentes idades, uma vez que as estratégias são relevantes para diferentes fases de desenvolvimento. Nosso objetivo é garantir que o livro continue sendo um recurso vital conforme seu filho cresça e mude e que você tenha ferramentas claras e específicas à disposição para cada fase do desenvolvimento.

BEBÊ/CRIANÇA PEQUENA (0-3)

TIPO DE INTEGRAÇÃO	ESTRATÉGIA CÉREBRO POR INTEIRO	APLICAÇÕES DA ESTRATÉGIA
Integrando os cérebros esquerdo e direito	nº 1 Conectar e redirecionar: quando seu filho estiver chateado, conecte-se primeiro emocionalmente, cérebro direito com cérebro direito. Então, depois que ele estiver mais controlado e receptivo, traga as lições e a disciplina do cérebro esquerdo.	O quanto antes, comece a ensinar-lhe emoções. Espelhe sentimentos e use elementos não verbais (como abraços e expressões faciais empáticas) para mostrar que você o compreende: *Você está frustrado, não é?* Então, depois de se conectar, estabeleça o limite: *Morder dói. Por favor, tome cuidado.* Finalmente, foque uma alternativa adequada ou mude o assunto: *Olha, ali está o seu ursinho. Fazia tempo que eu não o via.*
	nº 2 Nomear para disciplinar: quando grandes emoções do cérebro direito estiverem saindo do controle, ajude seu filho a contar a história sobre o que o está incomodando. Ao fazer isso, ele usará o cérebro esquerdo para encontrar sentido na experiência e se sentirá no controle da situação.	Mesmo que seja novinho, transforme em hábito o reconhecimento e a nomeação dos sentimentos: *Você parece tão triste. Aquilo doeu muito, não foi?* Então, conte a história. Com crianças pequenas, você precisará ser o narrador principal. Use palavras e interprete a queda ou a topada, possivelmente com humor, e veja a fascinação de seu filho. Pode ser útil produzir um livro caseiro com desenhos ou fotos para contar uma história incômoda ou para preparar seu filho para uma transição, como a nova rotina da hora de dormir ou o ingresso na pré-escola.
Integrando os andares de cima e de baixo	nº 3 Envolver, não enfurecer: em situações com alto nível de estresse, envolva o cérebro do andar de cima de seu filho, pedindo que ele pense, planeje e escolha, em vez de ativar o cérebro do andar de baixo, que se relaciona menos com refletir e mais com reagir.	Ninguém gosta de ouvir não, e esta é uma estratégia especialmente ineficaz para se usar frequentemente com crianças pequenas. Quando possível, evite lutas de poder diretas com seu pequeno. Diga não somente quando for necessário. Da próxima vez que proibi-lo de bater no espelho com um bastão, pare. Em vez disso, envolva o cérebro do andar de cima dele: *Vamos lá fora. O que você poderia fazer com este bastão no quintal?*

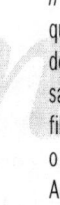

DANIEL J. SIEGEL e TINA PAYNE BRYSON

TIPO DE INTEGRAÇÃO	ESTRATÉGIA CÉREBRO POR INTEIRO	APLICAÇÕES DA ESTRATÉGIA
	nº 4 *Usar ou perder:* dê a seu filho muitas oportunidades de exercitar o cérebro do andar de cima para que possa ser forte e integrado com o cérebro do andar de baixo e o corpo.	O mais frequentemente possível, encontre maneiras de deixar seu filho usar o cérebro do andar de cima e tomar decisões por si mesmo. *Você quer usar a blusa azul ou a vermelha hoje? Quer leite ou água no jantar?* Quando lerem juntos, faça perguntas que ajudem o cérebro dele a evoluir: *Como você acha que o gatinho conseguirá chegar lá saindo da árvore? Por que a menina parece estar tão triste?*
	nº 5 *Mover ou perder:* uma forma poderosa de ajudar crianças a recuperarem o equilíbrio andar de cima-andar de baixo é fazê-las mexer o corpo.	Quando seu filho estiver chateado, certifique-se de reconhecer os sentimentos dele. Esse deve ser sempre o seu primeiro passo. Mas, depois, o mais rapidamente possível, faça-o se mexer. Realize brincadeiras brutas com ele. Brinque de seguir o líder. Aposte corridas com ele até o quarto e depois volte. Faça-o se mexer e mude o humor dele.
Integrando a memória	nº 6 *Usar o controle remoto da mente:* depois de um acontecimento perturbador, o controle remoto interno permite que as crianças pausem, retrocedam e avancem a história conforme a contam, para manter o controle sobre o quanto da história elas veem.	Crianças muito pequenas podem não saber nada sobre controles remotos, mas conhecem o poder de uma história. Aproveite esse período em que seu filho quer contar (e recontar) as histórias. Em vez de fazer pausas e avançar, você pode acabar simplesmente apertando o play repetidamente, contando a mesma história diversas vezes. Mesmo que se sinta incomodado por ter de repassar o mesmo relato sem parar, lembre-se de que contar histórias produz compreensão, cura e integração.
	nº 7 *Lembrar para lembrar:* ajude seu filho a exercitar a memória, fazendo-o recordar de vários acontecimentos.	Nesta idade, faça perguntas simples, voltando a atenção de seu filho aos detalhes do dia dele. *Nós fomos à casa de Carrie hoje, não foi? Você se lembra do que fizemos lá?* Perguntas assim são blocos de construção para um sistema de memória integrado.

TIPO DE INTEGRAÇÃO	ESTRATÉGIA CÉREBRO POR INTEIRO	APLICAÇÕES DA ESTRATÉGIA
Integrando as muitas partes de mim mesmo	nº 8 *Deixar as nuvens de emoções passarem:* lembre às crianças que os sentimentos vêm e vão. Medo, frustração e solidão são estados temporários, não características duradouras.	Estabeleça as bases para diferenciar entre "estou" e "sou". Quando crianças pequenas se sentem tristes (ou com raiva ou medo), elas têm dificuldade de compreender que não se sentirão assim para sempre. Então, ajude-as a dizer: "Estou me sentindo triste agora, mas sei que ficarei feliz mais tarde". Tome cuidado, porém, para não desprezar os sentimentos delas. Reconheça a emoção atual, ofereça consolo e, então, ajude seu filho a compreender que não se sentirá triste para sempre, que logo estará melhor.
	nº 9 *Examinar:* ajude seu filho a prestar atenção aos pensamentos, sentimentos, imagens e sensações dentro dele.	Ajude-o a se tornar consciente e a falar sobre seu mundo interno. Faça perguntas que o façam perceber sensações corporais (*Você está com fome?*), imagens mentais (*O que você imagina quando pensa na casa da vovó?*), sentimentos (*É frustrante quando os blocos caem, né?*) e pensamentos (*O que você acha que acontecerá quando Jill vier em casa amanhã?*).
	nº 10 *Exercitar a visão mental:* a prática da visão mental ensina as crianças a se acalmarem sozinhas e a focarem a atenção onde quiserem.	Mesmo as pequenas conseguem aprender a ficar paradas e respirar com calma, ainda que apenas por alguns segundos. Faça seu filho se deitar de costas e coloque um barquinho de brinquedo em cima da barriga dele. Mostre-lhe como respirar lenta e profundamente faz o barquinho subir e descer. Realize exercícios com pouca duração, já que ele é muito novinho. Deixe-o experimentar a sensação de ficar parado, quieto e tranquilo.

TIPO DE INTEGRAÇÃO	ESTRATÉGIA CÉREBRO POR INTEIRO	APLICAÇÕES DA ESTRATÉGIA
Integrando o *self* e outros	*nº 11 Aumentar o fator de diversão familiar:* leve diversão à família, para que seu filho tenha experiências positivas e satisfatórias com as pessoas com quem passa mais tempo.	Siga seu filho e simplesmente brinque. Faça cócegas, ria com ele, ame-o. Empilhe coisas e derrube-as. Bata em potes e panelas, vá ao parque, jogue bola. A cada interação com seu filho, você pode criar expectativas positivas na mente dele sobre o que significa amar e estar em um relacionamento.
	nº 12 Conectar por meio do conflito: em vez de um obstáculo a evitar, veja o conflito como uma oportunidade de ensinar a seu filho habilidades fundamentais de relacionamento.	Converse com ele sobre dividir e esperar a vez, mas não espere muito dele. Nos próximos anos, você terá muitas oportunidades para ensinar habilidades sociais e disciplina. Neste momento, se houver um conflito entre ele e outra criança, ajude-o a expressar como se sente e como a outra criança pode se sentir e ajude-o a resolver o problema, se possível. Então, redirecione-os a uma atividade diferente da qual possam aproveitar.

PRÉ-ESCOLAR (3-6)

TIPO DE INTEGRAÇÃO	ESTRATÉGIA CÉREBRO POR INTEIRO	APLICAÇÕES DA ESTRATÉGIA
Integrando os cérebros esquerdo e direito	*nº 1 Conectar e redirecionar:* quando seu filho estiver chateado, conecte-se primeiro emocionalmente, cérebro direito com cérebro direito. Então, depois que ele estiver mais controlado e receptivo, traga as lições e a disciplina do cérebro esquerdo.	Primeiro, escute amorosamente o que o incomodou. Abrace-o e repita para ele o que você ouviu com comunicação não verbal carinhosa: *Você está muito triste por Molly não ter vindo?* Então, depois de ter se conectado, direcione-o para a solução do problema e a um comportamento mais adequado: *Sei que você ficou chateado, mas precisa ser mais delicado com a mamãe. Tem outra ideia de brincadeira? Quem sabe Molly possa vir amanhã?*
	nº 2 Nomear para disciplinar: quando grandes emoções do cérebro direito estiverem saindo do controle, ajude seu filho a contar a história sobre o que o está incomodando. Ao fazer isso, ele usará o cérebro esquerdo para encontrar sentido na experiência e se sentirá no controle da situação.	Quer seja um trauma com "t minúsculo" ou com "T maiúsculo", você pode começar o processo de contar a história quase que imediatamente (depois de estar conectado cérebro direito com cérebro direito). Nesta idade, ele precisará que você assuma a dianteira. *Sabe o que vi? Vi você correndo e, quando seu pé pisou naquele ponto escorregadio, você caiu. Foi isso que aconteceu?* Se ele continuar a história, ótimo. Do contrário, você pode continuar: *Daí você começou a chorar e eu corri até você e...* Pode ser útil produzir um livro caseiro com desenhos ou fotos para contar uma história incômoda ou preparar seu filho para uma transição, como a nova rotina da hora de dormir ou o ingresso na escola.

TIPO DE INTEGRAÇÃO	ESTRATÉGIA CÉREBRO POR INTEIRO	APLICAÇÕES DA ESTRATÉGIA
Integrando os andares de cima e de baixo	nº 3 *Envolver, não enfurecer*: em situações com alto nível de estresse, envolva o cérebro do andar de cima de seu filho, pedindo que ele pense, planeje e escolha, em vez de ativar o cérebro do andar de baixo, que se relaciona menos com refletir e mais com reagir.	Estabelecer limites claros é importante, mas frequentemente dizemos mais do que precisamos. Quando seu filho estiver irritado, seja criativo. Em vez de dizer: *Isso não se faz*, pergunte: *De que outra forma você poderia fazer isso?* Em vez de: *Não estou gostando de como você está falando*, tente: *Você sabe outro jeito de dizer isso, um jeito mais educado?* Então, elogie-o quando usar o cérebro do andar de cima para apresentar alternativas. Uma ótima pergunta para ajudar a evitar disputas de poder é: *Você imagina um jeito de nós conseguirmos o que queremos?*
	nº 4 *Usar ou perder*: dê a seu filho muitas oportunidades de exercitar o cérebro do andar de cima para que possa ser forte e integrado com o cérebro do andar de baixo e o corpo.	Além de apresentar seu filho para formas, letras e números, faça uma brincadeira do tipo "O que você faria", que apresente dilemas hipotéticos. *O que você faria se estivesse em um parque e encontrasse um brinquedo que realmente quisesse, mas soubesse que era de outra criança?* Leiam juntos e peça que seu filho diga como a história acabará. Além disso, dê a ele muitas oportunidades de tomar decisões por si mesmo, mesmo que (e especialmente caso) seja difícil.
	nº 5 *Mover ou perder*: uma forma poderosa de ajudar crianças a recuperarem o equilíbrio andar de cima-andar de baixo é fazê-las mexer o corpo.	Crianças dessa idade adoram se movimentar. Então, quando seu filho estiver chateado e depois de você ter reconhecido seus sentimentos, dê-lhe motivos para mexer o corpo. Lute de brincadeira com ele. Jogue "bobinho" com um balão. Fiquem jogando bola um para o outro, enquanto ele diz a você por que está chateado. Mexer o corpo é uma maneira poderosa de mudar o humor.

TIPO DE INTEGRAÇÃO	ESTRATÉGIA CÉREBRO POR INTEIRO	APLICAÇÕES DA ESTRATÉGIA
Integrando a memória	nº 6 Usar o controle remoto da mente: depois de um acontecimento perturbador, o controle remoto interno permite que as crianças pausem, retrocedam e avancem a história conforme a contam, para manter o controle sobre o quanto da história elas veem.	Muito provavelmente, seu filho em idade pré-escolar adora contar histórias. Estimule isso. Conte histórias sobre qualquer coisa que aconteça: coisas boas, ruins e mais ou menos. Quando um acontecimento importante ocorrer, esteja disposto a narrar a história inúmeras vezes. Mesmo que seu filho não saiba muito sobre controles remotos, ele pode ser capaz de "voltar" e "pausar" a própria história. Ele se deliciará ao ouvir você contá-la e ajudará a contar e recontar qualquer grande momento de sua vida. Portanto, esteja preparado para "apertar play" sem parar – e saiba que, quando fizer isso, estará promovendo cura e integração.
	nº 7 Lembrar para lembrar: ajude seu filho a exercitar a memória, fazendo-o recordar de vários acontecimentos.	Faça perguntas do seguinte tipo: *o que a Srta. Alvarez achou do robô que você levou para compartilhar com os colegas hoje? Lembra-se de quando tio Chris levou você para tomar sorvete?* Jogue jogos de memória que exijam que seu filho junte pares ou encontre itens semelhantes, talvez fotos de amigos e famílias com histórias ou memórias específicas. Em relação a acontecimentos importantes que deseja que seu filho se lembre, faça um revezamento com ele para falar sobre os detalhes que mais marcaram cada um de vocês.
Integrando as muitas partes de mim mesmo	nº 8 Deixar as nuvens de emoções passarem: lembre às crianças que os sentimentos vêm e vão. Medo, frustração e solidão são estados temporários, não características duradouras.	Um motivo pelo qual grandes sentimentos podem ser tão desconfortáveis para crianças pequenas é que elas não veem essas emoções como temporárias. Então, enquanto você reconforta seu filho quando ele está chateado, ensine que sentimentos vêm e vão. Ajude-o a ver que, assim como é bom reconhecer as próprias emoções, também é bom perceber que embora esteja triste (ou com raiva ou com medo) no momento, provavelmente estará feliz em alguns minutos. Você pode até mesmo "guiar a testemunha" e perguntar: *Quando você acha que estará se sentindo melhor?*

TIPO DE INTEGRAÇÃO	ESTRATÉGIA CÉREBRO POR INTEIRO	APLICAÇÕES DA ESTRATÉGIA
	nº 9 Examinar: ajude seu filho a prestar atenção aos pensamentos, sentimentos, imagens e sensações dentro dele.	Converse com ele sobre o mundo interior. Ajude-o a compreender que ele pode perceber e falar sobre o que está acontecendo em sua mente e seu corpo. Provavelmente não estará pronto para se questionar, mas você pode ajudá-lo fazendo perguntas que o guiem para perceber sensações corporais (*Você está com fome?*), imagens mentais (*O que você imagina quando pensa na casa da vovó?*), sentimentos (*É frustrante quando os amigos não dividem os brinquedos, né?*) e pensamentos (*O que você acha que vai acontecer na escola amanhã?*).
	nº 10 Exercitar a visão mental: a prática da visão mental ensina as crianças a se acalmarem sozinhas e a focarem a atenção onde quiserem.	Nesta idade, podem praticar respiração tranquila, especialmente se você realizar exercícios de curta duração. Faça seu filho se deitar de costas e coloque um barquinho de brinquedo em cima da barriga dele. Mostre-lhe como respirar lenta e profundamente faz o barquinho subir e descer. Você também pode brincar com a vívida imaginação do seu filho nesta idade e lhe fazer focar a atenção e mudar o estado emocional: *Imagine que você está deitado na areia quente da praia e está se sentindo tranquilo e feliz.*
Integrando o self e outros	nº 11 Aumentar o fator de diversão familiar: leve diversão à família, para que seu filho tenha experiências positivas e satisfatórias com as pessoas com quem passa mais tempo.	Não é preciso muito esforço para se divertir com seu filho em idade pré-escolar. Apenas estar com você é o paraíso para ele. Passe tempo, jogue jogos e ria com ele. Estimule a diversão com irmãos e avós. Seja bobo e transforme disputas de poder potenciais em momentos divertidos e engraçados de parceria. Ao se divertir e criar rituais familiares agradáveis, você estará fazendo um investimento no relacionamento que trará retorno ao longo de vários anos.

TIPO DE INTEGRAÇÃO	ESTRATÉGIA CÉREBRO POR INTEIRO	APLICAÇÕES DA ESTRATÉGIA
	nº 12 *Conectar por meio do conflito:* em vez de um obstáculo a evitar, veja o conflito como uma oportunidade de ensinar a seu filho habilidades fundamentais de relacionamento.	Use os conflitos que seu filho enfrenta – com os irmãos, os colegas de escola e mesmo com você – para lhe ensinar lições sobre como se dar bem com os outros. Dividir, esperar a vez e perdoar são conceitos importantes que ele já está pronto para aprender. Sirva de modelo para ele e dedique um tempo para ajudá-lo a compreender o que significa estar em um relacionamento e como ser atencioso e respeitoso com os outros, mesmo durante períodos tensos.

INÍCIO DA IDADE ESCOLAR (6-9)

TIPO DE INTEGRAÇÃO	ESTRATÉGIA CÉREBRO POR INTEIRO	APLICAÇÕES DA ESTRATÉGIA
Integrando os cérebros esquerdo e direito	nº 1 *Conectar e redirecionar:* quando seu filho estiver chateado, conecte-se primeiro emocionalmente, cérebro direito com cérebro direito. Então, depois que ele estiver mais controlado e receptivo, traga as lições e a disciplina do cérebro esquerdo.	Escute-o primeiro e, depois, repita como ele está se sentindo. Ao mesmo tempo, use a comunicação não verbal para reconfortá-lo. Abraços e toques físicos com expressões faciais empáticas continuam sendo ferramentas poderosas para acalmar grandes emoções. Depois, redirecione-o mediante a solução de problemas e, dependendo da circunstância, mantenha a disciplina e estabeleça limites.
	nº 2 *Nomear para disciplinar:* quando grandes emoções do cérebro direito estiverem saindo do controle, ajude seu filho a contar a história sobre o que o está incomodando. Ao fazer isso, ele usará o cérebro esquerdo para encontrar sentido na experiência e se sentirá no controle da situação.	Quer seja um trauma com "t minúsculo" ou com "T maiúsculo", você pode começar o processo de contar a história quase que imediatamente (depois de ter conectado cérebro direito com cérebro direito). Se com crianças mais novas você precisa contar histórias e com crianças mais velhas você pode deixá-las assumir o controle, com crianças desta idade é preciso haver um equilíbrio entre essas duas ações. Faça muitas perguntas: *Você simplesmente não notou que o balanço estava vindo na sua direção? O que a sua professora fez quando ele disse aquilo para você? O que aconteceu depois disso?* Pode ser útil produzir um livro caseiro com desenhos ou fotos para contar uma história incômoda ou para preparar seu filho para algo que o esteja deixando ansioso, como a ida ao dentista ou uma mudança.

TIPO DE INTEGRAÇÃO	ESTRATÉGIA CÉREBRO POR INTEIRO	APLICAÇÕES DA ESTRATÉGIA
Integrando os andares de cima e de baixo	*nº 3 Envolver, não enfurecer:* em situações com alto nível de estresse, envolva o cérebro do andar de cima de seu filho, pedindo que ele pense, planeje e escolha, em vez de ativar o cérebro do andar de baixo, que se relaciona menos com refletir e mais com reagir.	Como sempre, conecte-se primeiro. Evite usar imediatamente a carta do "porque sim!". O cérebro do andar de cima de seu filho está desabrochando agora, então deixe-o fazer seu trabalho. Explique seus motivos, faça perguntas, peça soluções alternativas e negocie até. Você é a autoridade no relacionamento, e não há lugar para desrespeito, mas você pode estimulá-lo a apresentar diferentes abordagens à disciplina ou ao aprendizado de uma lição. Quando esperamos e facilitamos um pensamento mais sofisticado, estamos menos sujeitos a receber uma resposta reativa e de confronto.
	nº 4 Usar ou perder: dê a seu filho muitas oportunidades de exercitar o cérebro do andar de cima para que possa ser forte e integrado com o cérebro do andar de baixo e o corpo.	Faça uma brincadeira do tipo "O que você faria" e apresente dilemas hipotéticos: *Se um valentão estivesse implicando com alguém na escola e não houvesse adultos por perto, o que você faria?* Estimule empatia e autocompreensão por meio de diálogos ponderados sobre como os outros se sentem e sobre as intenções, os desejos e as crenças dele. Além disso, deixe seu filho enfrentar decisões e situações difíceis. Sempre que puder fazer isso de maneira responsável, evite resolver os problemas dele e auxiliá-lo, mesmo quando ele cometer pequenos erros ou fizer escolhas não muito boas. Afinal, seu objetivo aqui não é tomar decisões perfeitas, mas desenvolver ao máximo o cérebro do andar de cima ao longo do caminho.

TIPO DE INTEGRAÇÃO	ESTRATÉGIA CÉREBRO POR INTEIRO	APLICAÇÕES DA ESTRATÉGIA
	nº 5 Mover ou perder: uma forma poderosa de ajudar crianças a recuperarem o equilíbrio andar de cima-andar de baixo é fazê-las mexer o corpo.	Conecte-se com seu filho quando ele estiver chateado e, depois, encontre maneiras de fazê-lo se mexer. Andem de bicicleta juntos. Joguem "bobinho" com um balão ou tentem algumas posturas de ioga. Dependendo do seu filho, talvez você precise ser mais direto sobre o que está fazendo. Não pense que precisa "enganá-lo" ou esconder a sua estratégia. Seja direto, e explique-lhe o conceito de "mover ou perder" e, então, use a lição para ensinar-lhe que podemos realmente controlar nossos humores até certo ponto.
Integrando a memória	nº 6 Usar o controle remoto da mente: depois de um acontecimento perturbador, o controle remoto interno permite que as crianças pausem, retrocedam e avancem a história conforme a contam, para manter o controle sobre o quanto da história elas veem.	Uma criança desta idade pode evitar contar novamente histórias difíceis ou recordar memórias dolorosas. Ajude-a a compreender a importância de olhar para o que aconteceu consigo. Seja gentil, carinhoso e dê-lhe o poder de pausar a história a qualquer momento e mesmo pular detalhes desagradáveis. Contudo, à certa altura certifique-se de que, mesmo que mais tarde, você voltará e contará a história inteira, incluindo as partes dolorosas.
	nº 7 Lembrar para lembrar: ajude seu filho a exercitar a memória, fazendo-o recordar de vários acontecimentos.	No carro, à mesa de jantar, em qualquer lugar, ajude-o a falar sobre suas experiências, para integrar suas memórias implícitas e explícitas. Isso é especialmente importante quando se trata dos momentos mais importantes da vida dele, como experiências familiares, amizades e ritos de passagem. Ao fazer perguntas e estimular recordações, você ajudará seu filho a lembrar e compreender acontecimentos importantes do passado, auxiliando-o a entender melhor o que está acontecendo com ele no presente.

EDIÇÃO BRASILEIRA

TIPO DE INTEGRAÇÃO	ESTRATÉGIA CÉREBRO POR INTEIRO	APLICAÇÕES DA ESTRATÉGIA
Integrando as muitas partes de mim mesmo	n° 8 *Deixar as nuvens de emoções passarem:* lembre às crianças que os sentimentos vêm e vão. Medo, frustração e solidão são estados temporários, não características duradouras.	Ajude seu filho a prestar atenção às palavras que usa quando fala sobre seus próprios sentimentos. Não há nada de errado em dizer "sou triste". Mas ajude--o a compreender que outra forma de dizer isso é "estou triste". Essa pequena mudança no vocabulário pode ajudá-lo a compreender a sutil, mas importante distinção entre "estou" e "sou". Ele pode estar triste no momento, mas essa experiência é temporária, não permanente. Para lhe dar uma perspectiva, pergunte--lhe como espera estar se sentindo em cinco minutos, cinco horas, cinco dias, cinco meses e cinco anos.
	n° 9 *Examinar:* ajude seu filho a prestar atenção aos pensamentos, sentimentos, imagens e sensações dentro dele.	Apresente-lhe a roda da consciência. Além disso, jogue o jogo do exame no carro ou à mesa de jantar de uma maneira completa. Ajude-o a compreender que precisamos perceber o que está acontecendo dentro de nós mesmos se desejamos controlar a forma como nos sentimos e agimos. Faça perguntas que o guiem para perceber sensações corporais (*Você está com fome?*), imagens mentais (*O que você imagina quando pensa na casa da vovó?*), sentimentos (*Não é legal nos sentirmos deixados de lado, né?*) e pensamentos (*O que você acha que acontecerá na escola amanhã?*).
	n° 10 *Exercitar a visão mental:* a prática da visão mental ensina as crianças a se acalmarem sozinhas e a focarem a atenção onde quiserem.	Crianças desta idade conseguem compreender e sentir os benefícios de permanecerem calmas e focarem a mente. Faça-as ficar paradas e em silêncio e deixe-as aproveitar a calma interior. Ao guiar suas mentes por meio da visualização e da imaginação, elas têm a habilidade de focar a atenção em pensamentos e sentimentos que lhes trazem felicidade e paz. Sempre que precisarem se acalmar, podem simplesmente diminuir o ritmo e prestar atenção à própria respiração.

TIPO DE INTEGRAÇÃO	ESTRATÉGIA CÉREBRO POR INTEIRO	APLICAÇÕES DA ESTRATÉGIA
Integrando o *self* e outros	n° 11 *Aumentar o fator de diversão familiar:* leve diversão à família, para que seu filho tenha experiências positivas e satisfatórias com as pessoas com quem passa mais tempo.	Façam algo de que gostem juntos. Assistam a um filme com pipoca. Joguem um jogo de tabuleiro. Andem de bicicleta. Inventem uma história. Cantem e dancem. Simplesmente passem tempo juntos sendo felizes e bobos, o que criará uma forte base relacional para o futuro. Sejam intencionais em relação a se divertir e a criar rituais e memórias agradáveis.
	n° 12 *Conectar por meio do conflito:* em vez de um obstáculo a evitar, veja o conflito como uma oportunidade de ensinar a seu filho habilidades fundamentais de relacionamento.	Agora, seu filho já tem idade suficiente para manter um relacionamento mais complexo com você. Ensine-lhe explicitamente uma habilidade e, então, pratique-a. Faça-o se colocar no lugar dos outros, escolher uma pessoa aleatória em uma loja ou restaurante e tentar adivinhar o que é importante para ela e de onde está vindo. Ensine-o a ler sinais não verbais e, então, jogue um jogo para ver quantos exemplos (franzir a testa, dar de ombros, levantar as sobrancelhas etc.) vocês conseguem dar. Ensine-o a pedir mais do que desculpas quando fizer uma bobagem e, então, apresente-lhe um exemplo para que possa colocar o conceito em prática, escrevendo uma carta ou restituindo algo importante.

IDADE ESCOLAR (9-12)

TIPO DE INTEGRAÇÃO	ESTRATÉGIA CÉREBRO POR INTEIRO	APLICAÇÕES DA ESTRATÉGIA
Integrando os cérebros esquerdo e direito	n° 1 Conectar e redirecionar: quando seu filho estiver chateado, conecte-se primeiro emocionalmente, cérebro direito com cérebro direito. Então, depois que ele estiver mais controlado e receptivo, traga as lições e a disciplina do cérebro esquerdo.	Escute-o primeiro e, depois, reflita como seu filho está se sentindo. Tome cuidado para não ser condescendente e nem o menosprezar. Apenas repita o que ouvir e use elementos não verbais. Embora seu filho esteja crescendo, ainda quer ser cuidado por você. Assim que ele tiver consciência, você deverá redirecionar o planejamento e, se necessário, a disciplina. Mostre a ele o respeito de falar clara e diretamente. Ele tem idade suficiente para ouvir e compreender uma explicação lógica de qualquer situação e as consequências resultantes dela.
	n° 2 Nomear para disciplinar: quando grandes emoções do cérebro direito estiverem saindo do controle, ajude seu filho a contar a história sobre o que o está incomodando. Ao fazer isso, ele usará o cérebro esquerdo para encontrar sentido na experiência e se sentirá no controle da situação.	Primeiro, reconheça os sentimentos. Isso se aplica tanto a crianças maiores quanto a menores (ou a um adulto). Apenas expresse, explicitamente, o que você observa: *Não culpo você por estar chateado. Também estaria*. Então, facilite o relato da história. Faça perguntas e esteja presente, mas deixe-o contá-la quando estiver disposto. Especialmente em momentos dolorosos, é importante que as crianças falem sobre o que aconteceu com elas, mas nós não podemos forçá-las a fazer isso. Podemos apenas ser pacientes e presentes e permitir que falem quando estiverem prontas. Se seu filho não quiser conversar, sugira que faça um diário ou ajude-o a encontrar alguém com quem possa conversar.

TIPO DE INTEGRAÇÃO	ESTRATÉGIA CÉREBRO POR INTEIRO	APLICAÇÕES DA ESTRATÉGIA
Integrando os andares de cima e de baixo	nº 3 *Envolver, não enfurecer:* em situações com alto nível de estresse, envolva o cérebro do andar de cima de seu filho, pedindo que ele pense, planeje e escolha, em vez de ativar o cérebro do andar de baixo, que se relaciona menos com refletir e mais com reagir.	Esta é uma das piores idades para usar a carta do "porque sim!". Em vez disso, estimule o desabrochar do cérebro do andar de cima de seu filho, apelando a ele sempre que puder. Mantenha sua autoridade no relacionamento, mas, se possível, discuta alternativas e negocie com ele quando se tratar de regras e disciplina. Seja respeitoso e criativo ao ajudá-lo a melhorar suas faculdades de pensamento de alta ordem, pedindo-lhe que participe com você da tomada de decisões e da apresentação de soluções.
	nº 4 *Usar ou perder:* dê a seu filho muitas oportunidades de exercitar o cérebro do andar de cima para que possa ser forte e integrado com o cérebro do andar de baixo e o corpo.	Situações hipotéticas tornam-se cada vez mais divertidas conforme o cérebro das crianças se desenvolve. Faça uma brincadeira do tipo "o que você faria" e apresente dilemas hipotéticos. Esses jogos podem ser comprados, mas você pode criar algumas situações: *Se a mãe do seu amigo tivesse bebido antes de lhe dar uma carona para casa, como você lidaria com a situação?* Estimule a empatia e autocompreensão por meio de diálogos ponderados sobre como os outros se sentem e sobre as intenções, os desejos e as crenças de seu filho. Além disso, deixe-o enfrentar decisões e situações difíceis, mesmo quando cometer pequenos erros ou tomar decisões não tão boas. Afinal, seu objetivo aqui não é tomar decisões totalmente perfeitas, mas desenvolver ao máximo o cérebro do andar de cima ao longo do caminho.

EDIÇÃO BRASILEIRA

TIPO DE INTEGRAÇÃO	ESTRATÉGIA CÉREBRO POR INTEIRO	APLICAÇÕES DA ESTRATÉGIA
	nº 5 Mover ou perder: uma forma poderosa de ajudar crianças a recuperarem o equilíbrio andar de cima-andar de baixo é fazê-las mexer o corpo.	Seja direto sobre como mexer o corpo poderá ajudar a mudar o humor de seu filho. Especialmente quando ele estiver irritado, explique-lhe como é útil dar um tempo, se levantar e se mexer. Sugira um passeio de bicicleta ou uma caminhada, ou faça alguma atividade física com ele, como jogar pingue-pongue. Até mesmo se alongar um pouco ou brincar de ioiô pode ajudar.
Integrando a memória	*nº 6 Usar o controle remoto da mente:* depois de um acontecimento perturbador, o controle remoto interno permite que as crianças pausem, retrocedam e avancem a história conforme a contam, para manter o controle sobre o quanto da história elas veem.	Conforme se aproxima da adolescência, seu filho pode relutar mais em conversar com você sobre experiências dolorosas. Explique a importância da memória implícita e como as associações de uma experiência passada ainda podem afetá-la. Diga que ele pode assumir o controle sobre uma experiência ao contar a história novamente. Seja gentil, carinhoso e dê-lhe o poder de pausar a história a qualquer momento e mesmo de pular detalhes desagradáveis. Contudo, à certa altura, certifique-se de que, mesmo que mais tarde, você voltará e contará a história inteira, incluindo as partes dolorosas.
	nº 7 Lembrar para lembrar: ajude seu filho a exercitar a memória, fazendo-o recordar de vários acontecimentos.	No carro, à mesa de jantar, em álbuns de recortes ou diários, faça-o pensar sobre as experiências pelas quais passou, para integrar suas memórias implícitas e explícitas. Isso é fundamental quando se trata dos momentos mais importantes da vida dele, como experiências familiares, amizades e ritos de passagem. Ao fazer perguntas e estimular a recordação, você o ajudará a lembrar e compreender acontecimentos importantes do passado, o que o auxiliará a compreender melhor o que está acontecendo com ele no presente.

TIPO DE INTEGRAÇÃO	ESTRATÉGIA CÉREBRO POR INTEIRO	APLICAÇÕES DA ESTRATÉGIA
Integrando as muitas partes de mim mesmo	n° 8 *Deixar as nuvens de emoções passarem:* lembre às crianças que os sentimentos vêm e vão. Medo, frustração e solidão são estados temporários, não características duradouras.	Seu filho tem idade suficiente para compreender esse ponto em um nível consciente, mas certifique-se de ouvir os sentimentos dele antes de lhe transmitir essa informação. Então, depois de ter validado seus sentimentos, ajude-o a compreender que não durarão para sempre. Ressalte a sutil mas importante distinção entre "eu me sinto triste" e "eu estou triste". Para lhe dar uma perspectiva, pergunte-lhe como espera estar se sentindo em cinco minutos, cinco horas, cinco dias, cinco meses e cinco anos.
	n° 9 *Examinar:* ajude seu filho a prestar atenção aos pensamentos, sentimentos, imagens e sensações dentro dele.	Alguns garotos dessa idade podem realmente se interessar pelo conceito do exame para verificar o que está acontecendo dentro deles mesmos. Compreender essas categorias pode lhes dar certa medida de controle sobre suas vidas e, conforme seguirem rumo à adolescência, parecerão cada vez mais caóticas. Além disso, esta é uma ótima idade para usar regularmente a roda da consciência que os fará compreender e reagir às questões que surgirem.
	n° 10 *Exercitar a visão mental:* a prática da visão mental ensina as crianças a se acalmarem sozinhas e a focarem a atenção onde quiserem.	Explique ao seu filho os significativos benefícios de ficar calmo e focar a mente. Faça-o ficar parado e em silêncio e deixe-o aproveitar a calma interior. Ele tem a capacidade de focar a atenção em pensamentos e sentimentos que lhe trazem felicidade e paz. Apresente-lhe algumas das práticas neste livro, como visualizações guiadas e foco na respiração ou veja algum dos infinitos recursos encontrados na biblioteca ou on-line.

TIPO DE INTEGRAÇÃO	ESTRATÉGIA CÉREBRO POR INTEIRO	APLICAÇÕES DA ESTRATÉGIA
Integrando o *self* e outros	*nº 11 Aumentar o fator de diversão familiar:* leve diversão à família, para que seu filho tenha experiências positivas e satisfatórias com as pessoas com quem passa mais tempo.	Conforme as crianças se aproximam da adolescência, elas passam a apreciar cada vez menos a companhia dos pais. Até certa medida, isso é verdade. Mas quanto mais experiências significativas e agradáveis você der a seu filho agora, mais ele desejará ficar com você nos próximos anos. Crianças nesta idade adoram bobagens e jogos, então não subestime o poder de um jogo de charadas ou um tabuleiro interativo quando se trata de fortalecer os relacionamentos familiares. Vão acampar. Cozinhem juntos. Visitem um parque temático. Simplesmente encontrem maneiras de ficar juntos, criando rituais divertidos que vocês poderão apreciar ao longo de muitos anos.
	nº 12 Conectar por meio do conflito: em vez de um obstáculo a evitar, veja o conflito como uma oportunidade de ensinar a seu filho habilidades fundamentais de relacionamento.	Todas as habilidades relacionais e de solução de conflitos que você vem tentando ensinar a seu filho desde que ele estava aprendendo a falar – ver a perspectiva das outras pessoas, ler sinais não verbais, dividir, pedir desculpas – são as mesmas lições que estará dando conforme ela caminha rumo à adolescência. Continue falando sobre essas habilidades explicitamente e pratique-as. Quer esteja pedindo que seu filho veja o mundo através dos olhos de alguém, quer que ele escreva um bilhete de desculpas, ensine-lhe que o conflito não deve ser evitado, mas resolvido, e agir assim frequentemente melhora os relacionamentos.

AGRADECIMENTOS

Como pais e terapeutas, sabemos a importância de encontrar aplicações que sejam simples, acessíveis, práticas e efetivas. Ao mesmo tempo, somos cientistas treinados, portanto conhecemos a força de trabalhos com bases científicas que se desenvolvem com base no conhecimento de ponta. Somos profundamente gratos às muitas pessoas que nos ajudaram a manter este livro firmemente baseado em pesquisas científicas, mas também solidamente pautado no mundo prático do cotidiano da criação de filhos.

Tivemos a felicidade de trabalhar com colegas universitários e profissionais tanto na Universidade do Sul da Califórnia quanto na Universidade da Califórnia (Los Angeles) em diversos departamentos que tanto deram suporte ao nosso trabalho quanto nos inspiraram com suas pesquisas realizadas em relação ao cérebro e a relacionamentos. O primeiro livro de Dan, *A mente em desenvolvimento*, foi revisado durante o período em que escrevemos *O cérebro da criança*, com a incorporação de mais de duas mil novas referências científicas. Queremos agradecer aos cientistas e pesquisadores de cujos trabalhos tiramos tanto para podermos garantir que a tradução desse conhecimento é a mais atual possível.

O próprio manuscrito surgiu em uma colaboração próxima com nosso maravilhoso agente literário e amigo, Doug Abrams, que emprestou seu olhar de escritor de romances e suas mãos de editor para dar forma ao livro ao longo de sua gestação. Foi um prazer trabalhar como três mosqueteiros do cérebro por inteiro assumindo os desafios de traduzir ideias tão importantes em aplicações diretas, acessíveis e precisas da ciência para o uso cotidiano. Mal podemos esperar nossa próxima aventura juntos!

Agradecemos também aos nossos colegas clínicos e aos alunos do Mindsight Institute (Instituto da Visão Mental) e de nossos vários seminários e grupos de criação de filhos (especialmente os grupos das noites de terça e das manhãs de segunda-feira), que nos forneceram feedback sobre muitas das ideias que são a base da abordagem do cérebro por inteiro à criação de filhos. Diversas pessoas leram o manuscrito e contribuíram com valiosos comentários que ajudaram a fazer um "teste de campo" com o livro. Laura Hubber, Jenny Lorant, Lisa Rosenberg, Ellen Main, Jay Bryson, Sara Smirin, Jeff Newell, Gina Griswold, Celeste Neuhoff e Andre van Rooyen ofereceram excelentes retornos sobre o texto, as ilustrações e a capa. Outras pessoas foram fundamentais à criação deste livro e agradecemos especialmente a Deborah e Galen Buckwalter, Jen e Chris Williams, Liz e Steve Olson, Linda Burrow, Robert Colegrove e Gordon Walker pelo apoio e o tempo que nos dedicaram.

Somos muito gratos e reconhecemos os esforços de Beth Rashbaum, nossa editora original, assim como de nossa editora atual, Marnie Cochran, cuja dedicação e sabedoria (sem falar na paciência) nos guiaram em cada estágio do processo. Tivemos a felicidade de contar com duas editoras que se importam profundamente com livros e crianças. Também queremos fazer um grande e artístico agradecimento a nossa ilustradora, Merrilee Liddiard, com quem é uma delícia trabalhar e que emprestou seu talento, seu olhar criativo e sua experiência como mãe para tornar o livro uma experiência de cérebro por inteiro para o leitor.

Aos pais e professores que nos ouviram falar ou com quem tivemos o privilégio de trabalhar de alguma forma, somos profundamente gratos pelo entusiasmo com que adotaram a perspectiva do cérebro por inteiro. As histórias de como essas abordagens transformaram seus relacionamentos com suas crianças nos inspiraram ao longo de todo o processo. Agradecemos especialmente a todos os pais e pacientes cujas histórias e experiências se encontram neste livro. Embora tenhamos modificado seus nomes e os detalhes de suas histórias aqui, sabemos quem vocês são e somos gratos por isso. Agradecemos também a todos os que discutiram e votaram sobre os possíveis títulos do livro enquanto assistiam a jogos infantis de beisebol e aproveitavam a festa de 4 anos de Lily ao lado de nossa casa! Certamente foi um esforço comunitário trazer essas ideias práticas em uma expressão a mais clara e concisa possível.

Nossa dedicação em ajudar crianças a desenvolverem mentes resilientes e relacionamentos compassivos começa em casa. Somos profundamente gratos não apenas a nossos pais, mas à nossa esposa e marido, Caroline e Scott, cuja sabedoria e cujas colaborações editoriais diretas estão implícitas em todas estas páginas. Eles são não apenas nossos melhores amigos, mas também nossos melhores colaboradores, e ambos nos ajudaram a vencer incontáveis esboços que escrevemos e reescrevemos, dividindo seus próprios talentos literários e a sabedoria que têm na criação de nossos filhos. Este livro não poderia ter acontecido sem eles. Scott nos emprestou generosamente seu olho de professor de Inglês, a mente de escritor e a caneta de editor para ajudar este livro a fluir melhor e poder ser lido com mais clareza. Esse esforço familiar é expresso mais completamente em nossas próprias vidas pessoais através de nossos filhos, nossos melhores professores, cujo amor e cuja diversão, emoção e devoção nos inspiram de forma que as palavras mal conseguem começar a descrever. Agradecemos a eles do fundo de nossos corações a oportunidade de sermos seus pais ao longo desta jornada. É a exploração deles das muitas dimensões de seus próprios desenvolvimentos que nos dá motivação para compartilhar essas ideias sobre integração com você. Assim, é a nossos filhos que carinhosamente dedicamos, na esperança de que este livro também permita que você e as crianças com quem você se importa compartilhem dessa jornada rumo à integração, à saúde e ao bem-estar.

SOBRE OS AUTORES

DANIEL J. SIEGEL é graduado na Escola de Medicina de Harvard e completou sua educação médica com pós-graduação na Universidade da Califórnia – Los Angeles (UCLA), com especialização em Psiquiatria Pediátrica e de adultos. Atualmente, é professor clínico de Psiquiatria na Escola de Medicina da UCLA, codiretor do Mindful Awareness Research Center (Centro de Pesquisa da Consciência Plena) da UCLA, copesquisador no Center for Culture, Brain e Development (Centro para Cultura, Cérebro e Desenvolvimento) e diretor executivo do Mindsight Institute (Instituto da Visão Mental), um centro educacional dedicado a promover percepção, compaixão e empatia em indivíduos, famílias, instituições e comunidades. A prática psicoterápica de Dr. Siegel ao longo dos últimos vinte e cinco anos incluiu crianças, adolescentes, adultos, casais e famílias. Ele também é autor de diversos livros aclamados, incluindo *Parenting from the inside out: how a deeper self-understanding can help you raise children who thrive* (Criando filhos de fora para dentro: como uma autocompreensão mais profunda pode ajudar você a criar filhos que prosperem), com Mary Hartzell, *The mindful brain, mindsight: the new science of personal transformation* (O cérebro atento, visão mental: a nova ciência da transformação pessoal) e *A mente em desenvolvimento*. Vive em Los Angeles com a mulher e dois filhos. Para mais obter informações sobre seus programas e recursos educacionais, visite http://www.drdansiegel.com.

TINA PAYNE BRYSON é psicoterapeuta na clínica Pediatric and Adolescent Psychology Associates, em Arcadia, Califórnia, onde atende crianças e adolescentes, além de realizar consultorias sobre criação de filhos. Além de escrever e fazer palestras para pais, educadores e profissionais, é diretora de criação de filhos e desenvolvimento do Instituto da Visão Mental, focando em como compreender relacionamentos no contexto do cérebro em desenvolvimento. Dra. Bryson concluiu seu Ph.D. na Universidade do Sul da Califórnia, onde sua pesquisa explorou ciência do apego, teoria de educação infantil e o campo emergente da neurobiologia interpessoal. Ela mora perto de Los Angeles, com o marido e três filhos. Para obter mais informações sobre seu trabalho e recursos para criação de filhos, visite http://www.tinabryson.com.